GW00357468

OTFRIED PREUßLER

KRABAT

Bearbeitet von: Stefan Freund
Illustrationen: Lilian Brøgger

GEKÜRZT UND VEREINFACHT FÜR SCHULE
UND SELBSTSTUDIUM

Diese Ausgabe, deren Wortschatz nur die gebräuchlichsten
deutschen Wörter umfasst, wurde gekürzt und
in der Struktur vereinfacht und ist damit den Ansprüchen
des Deutschlernenden auf einer frühen Stufe angepasst.

**Dieses Werk folgt der
reformierten Rechtschreibung
und Zeichensetzung**

Umschlagentwurf: Mette Plesner
Photo: © Bliznetsov/iStock.

www.easyreaders.eu

Easy Readers

EGMONT

Gedruckt in Dänemark

OTFRIED PREUßLER (1923)

stammt aus dem Sudetenland. Beide Eltern waren
im Schulbereich tätig. 1953 wurde er selbst Lehrer
und übernahm später als Rektor die Leitung einer
Schule in Rosenheim. 1970 schied er aus dem
Schuldienst aus und lebt heute als freier Schrift-
steller in Haidenholzen bei Rosenheim. Der heute
auch im Ausland zu den erfolgreichsten Autoren
des deutschsprachigen Raumes zählende Schrift-
steller wurde für seine Werke mehrfach ausgezeich-
net. Darüber hinaus ist Preußler seit 1973 Träger
des Verdienstordens am Band der Bundesrepublik
Deutschland.

Werke: Die vier heiligen Dreikönige (1950); Es
geistert auf der Mitteralm (1951); Lieb Nachtigall,
wach auf (1951); Das Spiel vom lieben langen Jahr
(1951); Wir wollen auf die Reise gehn (1952); Das
Spiel von den sieben Gesellen (1953); Ei guten
Tag, Frau Base (1954); Der kleine Wassermann
(1956); Die kleine Hexe (1957); Bei uns in Schil-
da (1958); Thomas Vogelschreck (1959); Der Räuber Hotzenplotz (1962); Das kleine Gespenst
(1966); Die Abenteuer des starken Wanja (1968);
Neues vom Räuber Hotzenplotz (1969); Krabat
(1971); Die dumme Augustine (1972); Hotzenplotz 3 (1973); Jahrmarkt in Rummelsbach (1973);
Das Märchen vom Einhorn (1975); Der goldene
Brunnen (1975); Die Glocke von grünem Erz
(1976); Die Flucht nach Ägypten. Königlich böh-
mischer Teil (1978). Pumphut und die Bettelkin-
der (Bilderb.) 1981; Hörbe mit dem großen Hut.
Eine Hutzelgeschichte (1981); Hörbe und sein
Freund Zwottel. Noch eine Hutzelgeschichte
(1983); Kindertheaterstücke (1985); Der Engel mit
der Pudelmütze. 6 Weihnachtsgeschichten (1985);
Alles vom Räuber Hotzenplotz (1987); Zwölfe hat's
geschlagen (1988); Das Otfried Preußler Lesebuch
(1988); Dreikönigsgeschichten. Die Krone der
Mohrenkönige. Das Lied der Zikade (1989).

Das erste Jahr

Es war in der Zeit zwischen Neujahr und dem *Dreikö-nigstag*. Krabat, ein Junge von vierzehn Jahren damals, hatte sich mit zwei anderen Jungen zusammengetan. Sie zogen in der Gegend von Hoyerswerda von Dorf zu Dorf um zu *betteln*: Ringe aus Stroh um die Mützen waren die Königs*kronen*; und einer von ihnen, der lustige kleine Lobosch aus Maukendorf, machte den *Mohren*könig und bemalte sich jeden Morgen mit Ofen*ruß*. Stolz trug er ihnen den Bethlehemsstern vor-an, den Krabat an eine Stange genagelt hatte.

In der Nacht, in der sie auf einem Bauernhof bei Petershain schliefen, geschah es zum ersten Mal, dass Krabat jenen merkwürdigen Traum hatte.

Elf *Raben* saßen auf einer Stange und blickten ihn an. Er sah, dass ein Platz auf der Stange frei war, am linken Ende. Dann hörte er eine Stimme. Die Stimme klang *heiser*, sie schien aus den Lüften zu kommen, von fern her, und rief ihn bei seinem Namen. Er fürchtete sich, zu antworten. »Krabat!«, rief es zum zweiten Mal

die Krone

---

der *Dreikönigstag*, der 6. Januar
betteln, bitten etwas zu bekommen
der *Mohr*, ein Mensch schwarzer Hautfarbe
der *Ruß*, Schwarze im Ofen, entsteht bei unvollständiger Verbrennung
der *Rabe*, ein großer, schwarzer Vogel
heiser, grob, klanglos

und zum dritten Mal: »Krabat!« Dann sagte die Stimme: »Komm nach Schwarzkollm in die Mühle, es wird nicht zu deinem Schaden sein!« Dann flogen die Raben von der Stange auf und *krächzten*: »Gehorche der Stimme des Meisters, gehorche ihr!« 5

Davon wachte Krabat auf. »Was man nicht alles zusammenträumt!«, dachte er, drehte sich auf die andere Seite und schlief wieder ein. Am nächsten Tag zog er mit den beiden anderen weiter, und als er an die Raben dachte, lachte er. 10

Doch in der folgenden Nacht wiederholte sich der Traum. Wieder rief ihn die Stimme beim Namen, und wieder krächzten die Raben: »Gehorche ihr!« Das gab Krabat zu denken. Er fragte am nächsten Morgen den Bauern, bei dem sie übernachtet hatten, ob er ein Dorf 15 kenne, das Schwarzkollm heiße oder so ähnlich.

Der Bauer meinte, den Namen gehört zu haben. »Schwarzkollm ...«, überlegte er. »Ja doch – im Hoyerswerdaer Forst, an der Straße nach Leippe: da gibt es ein Dorf, das so heißt.« 20

Das nächste Mal übernachteten die Dreikönige in Groß-Partwitz. Auch hier träumte Krabat den Traum von den Raben und von der Stimme, die aus den Lüften zu kommen schien; und alles war wie beim ersten und zweiten Mal. Da beschloss er, der Stimme zu folgen. 25 Am nächsten Morgen, als die anderen *Burschen* noch schliefen, stahl er sich vom Hof.

Von Dorf zu Dorf fragte Krabat sich weiter. Im Hoyerswerdaer Wald kam er vom Weg ab und brauchte zwei volle Stunden, bis er die Straße nach Leippe wie- 30

---

krächzen, heiser sprechen
der Bursche, der Junge

9

derfand. So kam es, dass er erst gegen Abend an seinem Ziel ankam.

Schwarzkollm war ein Dorf wie die anderen Dörfer. Vergebens suchte er nach einer Mühle. Ein alter Mann
5 kam die Straße herauf: den fragte er.

»Wir haben im Dorf keine Mühle«, bekam er zur Antwort.

»Und in der Nachbarschaft?«

»Wenn du die meinst ...« Der Alte zeigte mit dem
10 Daumen über seine Schulter. »Im Koselbruch hinten, am Schwarzen Wasser, da gibt es eine. Aber ...« Er unterbrach sich, als habe er schon zu viel gesagt.

»Was gibt's«, fragte Krabat.

Der Alte trat näher und sagte mit ängstlicher Stim-
15 me: »Ich möchte dich warnen, Junge. *Meide* den Koselbruch und die Mühle am Schwarzen Wasser, etwas stimmt dort nicht ...«

Ob es nicht klüger war umzukehren?

»Ach was«, sagte Krabat. »Bin ich ein kleiner Jun-
20 ge? Ansehen kostet nichts.«

Krabat ging ein Stück durch den dunklen Wald. Der Mond kam hinter den Wolken hervor, alles schien plötzlich im kalten Licht.

Jetzt sah Krabat die Mühle.
25 Da lag sie vor ihm im Schnee, dunkel und unheimlich, wie ein böses Tier.

»Niemand zwingt mich dazu, dass ich hingehe«, dachte Krabat. Dann nahm er doch seinen Mut zusammen und trat aus dem Wald ins Freie. Mutig ging er auf die
30 Mühle zu, fand die Haustüre verschlossen und klopfte.

---

meiden, sich fernhalten

10

Er klopfte einmal, er klopfte zweimal: nichts rührte sich drinnen. Krabat klopfte ein drittes Mal.

Wieder blieb alles still in der Mühle. Da drückte er den Türgriff nieder: die Tür ließ sich öffnen, er trat ein.

Es war sehr still und sehr dunkel. Weit hinten 5 jedoch, am Ende des Ganges, war ein schwacher Lichtschein zu sehen.

»Wo Licht ist, werden auch Leute sein«, dachte Krabat.

Langsam und vorsichtig ging er weiter. Als er näher 10 kam, fiel das Licht durch einen *Spalt* in der Tür, die den Gang an der Rückseite abschloss. Ihn packte die

---

der Spalt, die Öffnung

Neugier und so näherte er sich vorsichtig dem Türspalt und sah hindurch.

Sein Blick fiel in eine schwarze, vom Schein einer einzigen *Kerze* beleuchteten *Kammer*. Die Kerze war
5 rot. Sie klebte auf einem Totenkopf, der auf dem Tisch lag, der in der Mitte des Raumes stand. Hinter dem Tisch saß ein großer, dunkel gekleideter Mann, sehr *bleich* im Gesicht, wie mit *Kalk bestrichen*; ein schwarzes *Pflaster* bedeckte sein linkes Auge. Vor ihm auf dem
10 Tisch lag ein dickes Buch aus Leder, das an einer Kette hing: darin las er.

Nun hob er den Kopf und schaute herüber, als habe er Krabat hinter dem Türspalt gesehen.

»Da bist du ja! Ich bin hier der Meister. Du kannst
15 bei mir Lehrjunge werden, ich brauche einen. Du magst doch?«

»Ich mag«, hörte Krabat sich antworten. Seine Stimme klang fremd, als gehörte sie gar nicht ihm.

»Und was soll ich dich lehren? Das *Müllern* – oder
20 auch alles andere?«, wollte der Meister wissen.

»Das andere auch«, sagte Krabat.

Da hielt ihm der Müller die linke Hand hin.

»Schlag ein! Gib mir die Hand darauf!«

In dem Augenblick, als Krabat dem Müller die
25 Hand gab, begann ein fürchterliches Lärmen im Haus. Es schien aus der Tiefe der Erde zu kommen. Der Fuß-

---

die Kerze, das Licht
die Kammer, das Zimmer
bleich, blass
der Kalk, die Kreide
bestrichen, bemalen
das Pflaster, hier: ein Stück Stoff
das Müllern, die Arbeit in der Mühle

boden und die Wände fingen zu zittern an.

Krabat schrie auf, wollte weglaufen: weg, bloß weg von hier! – doch der Meister stellte sich ihm in den Weg.

»Die Mühle!«, rief er. »Nun *mahlt* sie wieder!« 5

Der Meister bat Krabat mitzukommen. Wortlos leuchtete er dem Jungen über die steile Holztreppe auf den Dachboden, wo die *Mühlknappen* ihren Schlafraum hatten. Krabat erkannte im Schein der Kerze zwölf niedrige *Pritschen* mit Strohsäcken, sechs auf der einen 10

mahlen, Korn zu Mehl zerreiben, hier: arbeiten
der Mühlknappe, der Müllerbursche
die Pritsche, ein einfaches Bett aus Brettern

13

Seite des Mittelganges, sechs auf der anderen; neben jeder ein schmaler Schrank. Auf den Strohsäcken lagen Decken und Kleidungsstücke herum.

Es sah aus, als ob die Mühlknappen in aller Eile aus dem Bett an die Arbeit geholt worden waren.

Ein einziger Schlafplatz war unbenutzt, der Meister deutete auf die Kleider am Fußende. »Deine Sachen!« Da drehte er sich um und ging mit dem Licht hinaus.

Nun stand Krabat allein im Dunkeln. Langsam begann er, sich auszuziehen. Als er die Mütze vom Kopf nahm, bemerkte er mit den Fingerspitzen den Strohring: Ach richtig, noch gestern war er ja ein Dreikönig gewesen – wie weit lag das hinter ihm.

Krabat war müde bis zum Umfallen. Er legte sich auf seinen Strohsack und schlief sofort ein. Er schlief und schlief – bis ein Lichtstrahl ihn weckte.

Krabat erschreckte und setzte sich auf.

Es standen elf weiße Gestalten an seinem Lager, die im Schein einer Stallampe auf ihn herunter blickten: elf weiße Gestalten mit weißen Gesichtern und weißen Händen.

»Wer seid ihr?«, fragte der Junge ängstlich.

»Das, was du auch bald sein wirst«, gab eine der Gestalten zur Antwort.

»Aber wir tun dir nichts«, sagte eine zweite. »Wir sind hier die Mühlknappen.«

»Elf seid ihr?«

»Du bist der zwölfte. Wie heißt du denn?«

»Krabat. – Und du?«

»Ich bin Tonda, der *Altgesell*. Dies ist Michal, dies

---

der Altgesell, der älteste Bursche

14

Merten, dies Juro, dies Lyschko, dies Andrusch und Hanzo, dies Petar und Staschko, dies Kito und dies Kubo«; dann meinte er, dass es genug sei für heute. »Schlaf weiter, Krabat, du wirst deine Kräfte noch brauchen können auf dieser Mühle.«

Die Müllerburschen legten sich auf ihre Pritschen, der letzte machte die Lampe aus – gute Nacht, und schon schliefen sie.

Zum Frühstück versammelten sich die Mühlenknappen in der Stube. Sie saßen zu zwölft um den langen Holztisch, es gab eine fette *Grütze*, je vier Gesellen aßen aus einer Schüssel. Krabat war hungrig und aß gut. Hielten Mittagessen und Abendbrot, was das Frühstück versprach, dann ließ es sich auf der Mühle leben.

Tonda, der Altgesell, war ein großer Bursche mit eisgrauem Haar; doch schien er noch keine dreißig zu sein, dem Gesicht nach. Ein großer Ernst ging von Tonda aus, genauer von seinen Augen. Krabat *hatte* vom ersten Tag an *Vertrauen* zu ihm.

»Ich hoffe, wir haben dich heute Nacht nicht zu sehr erschreckt«, sagte Tonda zu Krabat.

»Nicht allzu sehr«, sagte Krabat.

Er besah sich die Gesellen bei Tageslicht, es waren Burschen wie tausend andere. Sie waren einige Jahre älter als Krabat und wenn sie ihn anblickten, geschah das nicht ohne Bedauern, wie er zu fühlen meinte. Das wunderte ihn, doch er dachte sich weiter nichts dabei.

Was ihm zu denken gab, waren die Kleider, die er am Ende der Pritsche gefunden hatte: getragene

---

die Grütze, eine Speise oder ein Brei aus Körnern
Vertrauen haben, an jemanden glauben

Sachen zwar, doch sie passten wie für ihn gemacht. Er fragte die Burschen, woher sie das Zeug denn hätten und wem es gehört habe; aber er hatte die Frage kaum ausgesprochen, da legten die Mühlgesellen den Löffel
5 weg und blickten ihn traurig an.

»Hab ich was Dummes gesagt?«, fragte Krabat.

»Nein, nein«, sagte Tonda. »Die Sachen ... Sie sind von deinem *Vorgänger*.«

»Und?«, wollte Krabat wissen. »Warum ist er nicht
10 mehr da? Hat er ausgelernt?«

»Ja, der hat ausgelernt«, sagte Tonda.

In diesem Augenblick flog die Tür auf. Der Meister

---

der Vorgänger, hier: der vorige Mühlknappe

16

trat ein, er war *zornig*, die Mühlknappen erschraken.
»Redet mir nicht!«, schrie er sie an; und den Blick seines einen Auges auf Krabat gerichtet, sagte er: »Wer viel fragt, der viel irrt. – Wiederhole das!«

Krabat sagte: »Wer viel fragt, der viel irrt ...«   5

»Schreib dir das hinter die Ohren!«

Der Meister verließ die Stube und schlug die Tür hinter sich zu.

Die Burschen begannen aufs Neue zu essen, doch Krabat war plötzlich satt. Er sah vor sich auf den Tisch. 10
Keiner nahm Notiz von ihm. Oder doch?

Als er aufblickte, schaute Tonda zu ihm herüber und gab ihm ein Zeichen – kaum merklich zwar, doch der Junge war dankbar dafür. Es war gut, einen Freund zu haben in dieser Mühle.   15

Nach dem Frühstück gingen die Mühlknappen an die Arbeit, Krabat verließ mit den anderen die Stube. Im *Flur* stand der Meister und sagte: »Mitkommen!« Krabat folgte dem Meister ins Freie. Die Sonne schien, es ging kein Wind und es war kalt.   20

Der Meister führte ihn hinter die Mühle. Dort war eine Tür in der hinteren Wand des Hauses, die er öffnete. Dann betraten sie miteinander die Mehlkammer, einen niedrigen Raum mit zwei kleinen Fensterchen, blind vom Mehlstaub. Mehlstaub auch auf dem Fußbo- 25
den, an den Wänden, überall.

»Ausfegen!«, sagte der Meister. Er zeigte auf einen *Besen* neben der Tür und ging fort.

Krabat machte sich an die Arbeit. Kaum hatte er

zornig, wütend
der Flur, der Gang
der Besen, das Werkzeug zum Fegen

17

angefangen zu fegen, schon war er in einer dichten Staubwolke aus Mehlstaub.

»So geht das nicht«, überlegte er. »Wenn ich bis hinten durch bin, liegt vorn wieder alles voll. Ich werde ein Fenster öffnen ...«

Die Fenster waren von außen zugenagelt, die Türen verschlossen. Da konnte er machen, was er wollte: Es half nichts, er war gefangen hier.

Krabat fing an zu schwitzen. Der Mehlstaub klebte ihm im Haar, war in der Nase und im Hals. Es war wie ein böser Traum, der kein Ende nahm: Mehlstaub überall.

Bis endlich, nach einer halben *Ewigkeit*, jemand kam und die Tür aufmachte: Tonda.

»Komm raus!«, rief er. »Mittag!«

Das ließ sich der Junge nicht zweimal sagen und lief an die Luft. Der Altgeselle warf einen Blick in die Mehlkammer und sagte:

»Mach dir nichts draus, Krabat – keinem geht es am Anfang besser.«

Er sagte ein paar Worte, die Krabat nicht verstand, und schrieb mit der Hand etwas in die Luft. Da erhob sich der Staub und flog über Krabats Kopf weg dem Walde zu.

Die Kammer war leergefegt. Sauber war sie. Der Junge bekam große Augen.

»Wie macht man das?«, fragte er.

Tonda blieb ihm die Antwort schuldig, er meinte: »Lass uns ins Haus gehen, Krabat, die Suppe wird kalt.«

---

die Ewigkeit, die Zeit ohne Ende

Für Krabat begann eine harte Zeit, der Meister hatte viel Arbeit für ihn. Die Mühle im Koselbruch mahlte Tag für Tag, werktags und sonntags, vom frühen Morgen an bis zur Dunkelheit. Nur einmal die Woche, am Freitag, hörten die Mühlknappen früher auf als sonst, und samstags begannen sie mit der Arbeit zwei Stunden später.

Krabat bewunderte seine Mitgesellen. Die schwere Arbeit in der Mühle schien denen nichts auszumachen, keiner wurde müde, keiner klagte.

Eines Morgens war Krabat dabei, den Weg zum *Brunnen* freizumachen. Letzte Nacht hatte es geschneit und die Wege waren unterm Schnee verschwunden. Krabat musste hart arbeiten, alles tat ihm weh. Da kam Tonda zu ihm heraus. Als er sah, dass sie allein waren, legte er ihm die Hand auf die Schulter.

»Nicht *aufgeben*, Krabat ...«

Da war es dem Jungen, als fließe ihm neue Kraft zu. Nichts tat ihm mehr weh. Er packte den Besen und hätte wild drauf losgefegt, wäre Tonda ihm nicht in den Arm gefallen.

»Der Meister darf es nicht merken«, bat er ihn, »und auch Lyschko nicht!« Lyschko hatte Krabat vom ersten Tag an nicht gefallen: einer, vor dem man sich keinen Augenblick sicher wusste.

»Ist gut«, sagte Krabat und tat so, als ob ihm die Arbeit mit dem Besen große Mühe kostete.

der Brunnen, die Wasserstelle
aufgeben, aufhören

Von nun an kam Tonda öfters zu Krabat und legte ihm *heimlich* die Hand auf. Dann merkte der Junge, wie er frische Kraft bekam, und die Arbeit, so schwer sie auch sein mochte, ging ihm für eine Weile leicht von der

5 Hand.

Der Meister und Lyschko merkten von allem nichts – und auch die anderen Müllerburschen nicht – und erst recht nicht, versteht sich, der dumme Juro.

Juro war nach Tonda am längsten im Dienst auf der

10 Mühle. Für die Arbeit in der Mühle war er zu dumm, bloß für die Hausarbeit nicht. Da jemand auch diese Dinge tun musste, waren alle zufrieden, dass Juro sie machte: das Kochen und Spülen, das Brotbacken und das Heizen, das Saubermachen und alles andere, was es

15 in Küche und Haus zu tun gab.

Wie Juro seine vielen Aufgaben schaffte, verstand der Junge nicht. Die Mitgesellen nahmen dies alles für *selbstverständlich* und der Meister tat, als wäre Juro der letzte Dreck. Krabat fand das nicht richtig.

20 »Ich verstehe dich nicht, dass du dir alles gefallen lässt«, sprach Krabat ihn einmal darauf an.

»Ich?«, fragte Juro.

»Ja – du!«, sagte Krabat. »Lauf weg! Lauf weg hier – und such dir woanders was, wo du's besser hast!«

25 »Weglaufen?« Juro wirkte für einen Augenblick gar nicht dumm, nur enttäuscht und müde. »Versuch das mal, Krabat, hier wegzulaufen!«

»Ich habe keinen Grund dazu.«

»Nein«, sagte Juro, »gewiss nicht – und hoffen wir,

30 dass du nie einen haben wirst ...«

---

heimlich, unbemerkt
selbstverständlich, natürlich

Die Mühle im Koselbruch hatte sieben Mahl*gänge*. Sechs wurden immer benutzt, der siebente nie; deshalb nannten sie ihn den toten Gang. Er war im hinteren Teil der Mahlstube. Am Anfang war Krabat der Meinung gewesen, es müsse daran wohl etwas kaputt sein. 5 Aber eines Morgens beim Ausfegen entdeckte er, dass auf dem Boden unter dem toten Gang ein wenig Mehl lag. Beim näheren Hinsehen fanden sich auch im Mahlkasten Spuren von frischem Mehl, als habe man ihn nach der Arbeit nicht gründlich genug von außen 10 abgeklopft.

War letzte Nacht auf dem toten Mahlgang gemahlen worden? Dann musste es heimlich geschehen sein, während alles schlief. Oder hatten nicht alle geschlafen in dieser Nacht, tief und fest wie der Junge selbst? 15

Ihm fiel ein, dass die Mühlknappen heute mit grauen Gesichtern zum Frühstück erschienen waren; jetzt kam ihm das verdächtig vor.

Neugierig stieg er die Treppe zu der Stelle hinauf, von wo aus Korn in den Mahlgang gefüllt wird. Beim 20 Einfüllen fallen immer Körner daneben – nur lagen da keine Körner, wie Krabat erwartet hatte. Was da umherlag und auf den ersten Blick aussah wie kleine Steine, waren – Zähne und Knochen*splitter*.

Angst packte den Jungen, er wollte schreien und 25 brachte doch keinen Ton heraus.

Plötzlich stand Tonda hinter ihm. Er hatte ihn gar nicht kommen hören. Nun nahm er die Hand des Jungen.

»Was suchst du da oben, Krabat? Komm runter, 30

der Gang, hier: das Werk
der Splitter, das kleine abgebrochene Stück

bevor dich der Meister entdeckt – und vergiss, was du hier gesehen hast. Hörst du mich, Krabat – vergiss es!«

Dann führte er ihn die Treppe hinab; und kaum war er unten angekommen, hatte er alles, was er an diesem
5   Morgen gesehen hatte, vergessen.

So verging Woche um Woche, ohne dass in Krabats Leben viel Neues geschehen wäre. Manches, was ringsum passierte, gab ihm zu denken. Merkwürdig war, unter anderem, dass nie Mahlgäste zur Mühle kamen.
10 Warum hielten sich die Bauern aus der Umgebung von der Mühle fern? Trotzdem liefen die Mahlgänge Tag für Tag, Korn wurde zu Mehl gemahlen.

Eines Nachts wurde Krabat unsanft geweckt. Es sah aus, als wäre Feuer in der Mühle. Krabat, hellwach, riss
15 das Fenster auf. Auf dem Hof der Mühle stand ein *Fuhrwerk* mit sechs rabenschwarzen Pferden davor. Auf dem Wagen saß einer in einem schwarzen Mantel, mit einem schwarzen Hut. Nur die *Hahnen*feder, die er am Hut trug – die Feder war hell und rot. Einer Flamme gleich,
20 leuchtete sie im Wind: Ihr Schein reichte hin, um den Hof auszuleuchten. Es sah aus, als ob die Mühle brannte.

Die Mühlknappen eilten zwischen Haus und Wagen hin und her, hoben Säcke vom Wagen, trugen sie in die Mahlstube, kamen aufs Neue herbeigerannt.
25 Stumm ging das alles vor sich, in größter Eile. Sogar der Meister, der sonst nie einen Handgriff in der Mühle tat: heut Nacht war er mit dabei. Er arbeitete, als ob er's bezahlt *kriegte*.

---

das Fuhrwerk, der Pferdewagen
der Hahn, das männliche Huhn
kriegen, bekommen

22

Ab und zu machte er eine Pause – nicht zum Ausruhen, wie Krabat dachte, sondern er rannte zum Mühlen*weiher* hinauf und zog die *Schleuse*.

Das Wasser schoss in den Mühlgraben ein, auf das
5 Mühlrad. Nun hätten die Mahlgänge arbeiten müssen, aber nur einer lief an – und der eine mit einem *Geräusch*, das dem Jungen fremd war. Es schien aus dem hinteren Teil der Mühle zu kommen.

Krabat dachte an den toten Gang und bekam
10 Angst.

Unten im Hof war die Arbeit weitergegangen. Jetzt aber in der anderen Richtung. Die Mühlknappen trugen nun die Säcke vom Haus zum Fuhrwerk. Was auch immer darin war: Nun wurde es in gemahlenem
15 Zustand zurückgebracht.

Noch vor dem Morgen fuhr der Fremde davon, über die nassen Wiesen, auf den Wald zu – und *seltsam*: Der schwere Pferdewagen machte keine Spur im Gras.

Einen Augenblick später wurde die Schleuse
20 geschlossen, das Mühlrad lief aus. Krabat legte sich auf seine Pritsche. Die Müllerburschen kamen die Treppe herauf, müde von der schweren Arbeit.

Am Morgen nach dem Frühstück sprach Krabat mit Tonda.
25 »Warum habt ihr mich nicht geweckt, als der Fremde vorfuhr? Ihr wollt es mir wohl nicht sagen – wie so vieles, was in der Mühle vorgeht, von dem ich nichts wissen soll. Bloß: ich bin ja nicht blind – und vor allem

---

der Weiher, der kleine See
die Schleuse, hier: das Brett, das das Wasser freigibt
das Geräusch, der Lärm
seltsam, merkwürdig

24

nicht dumm, das schon gar nicht!«

»Niemand sagt das«, antwortete Tonda.

»Aber ihr tut so!«, rief Krabat.

»Alles braucht seine Zeit«, sagte Tonda ruhig. »Bald wirst du sehen, was mit dem Meister und dieser Mühle los ist. Der Tag und die Stunde sind näher, als du denkst: Bis dahin gedulde dich.«

Karfreitag, am frühen Abend, lag Krabat müde auf seiner Pritsche und wollte schlafen. Auch heute hatten sie arbeiten müssen. Wie gut, dass es endlich Abend geworden war, dass er nun seine Ruhe hatte ...

Mit einem Mal hörte er seinen Namen rufen, wie damals im Traum, auf dem Bauernhof von Petershain – nur dass die Stimme, die heisere, ihm jetzt nicht mehr fremd war.

Er setzte sich auf und *lauschte*, zum zweiten Mal rief es: »Krabat!« Da nahm er seine Kleider und zog sich an.

Als er fertig war, rief ihn der Meister zum dritten Mal.

Krabat beeilte sich und lief die Treppe hinunter. Am Ende des Flures standen die elf Gesellen. Die Tür zu der schwarzen Kammer stand offen, der Meister saß hinter dem Tisch. Wie damals, bei Krabats Ankunft, lag wieder das dicke Buch aus Leder vor ihm; es fehlte auch nicht der Totenkopf mit der brennenden roten Kerze; nur dass der Meister jetzt nicht mehr bleich im Gesicht war, das war in der Zwischenzeit längst verschwunden.

»Tritt näher, Krabat!«

---

der Karfreitag, der Freitag vor Ostern
lauschen, aufmerksam hören

25

Der Junge trat vor. Eine Weile sah ihn der Meister an, dann hob er die linke Hand und sagte zu den Gesellen, die im Flur standen.

»*Husch*, auf die Stange!«

Mit Krächzen und Flügelschlagen flogen elf Raben an Krabat vorbei, durch die Kammertür. Als er sich umschaute, waren die Müllerburschen verschwunden. Die Raben saßen in der hinteren linken Ecke des Raumes auf einer Stange und blickten ihn an.

Der Meister stand auf, sein Schatten fiel auf den Jungen.

»Seit einem Vierteljahr«, sagte er, »bist du nun auf der Mühle, Krabat. Die Probezeit ist vorüber, du bist nun kein gewöhnlicher Lehrjunge mehr – du sollst nun mein Schüler sein.«

Damit trat er auf Krabat zu und berührte ihn mit der linken Hand an der linken Schulter. Krabat *spürte* wie er immer kleiner wurde, wie er sich in einen Raben *verwandelte*.

Der Müller sah ihn sich eine Weile an, dann rief er: »Husch!« Krabat, der Rabe, machte die Flügel breit und begann zu fliegen. Unsicher flog er durch die Kammer, um den Tisch, stieß gegen Buch und Totenkopf und flog dann zu den anderen Raben auf die Stange.

Der Meister sprach zu ihm: »Du musst wissen, Krabat, dass du in einer schwarzen Schule bist. Man lernt hier nicht Lesen und Schreiben und Rechnen – hier lernt man die Kunst der Künste. Das Buch an der

---

husch, schnell
spüren, merken, fühlen
verwandeln, umformen

27

Kette, das da vor mir auf dem Tisch liegt, ist das
*Zauber*buch. Wie du siehst, hat es schwarze Seiten, die
Schrift ist weiß. Darin sind alle Zauberformeln der
Welt. Ich allein darf sie lesen, weil ich der Meister bin.
5 Euch aber, dir und den anderen Schülern, ist es verbo-
ten darin zu lesen, das merke dir! Und versuche nicht
mich zu *betrügen*, das würde dir schlecht bekommen!
Hast du mich verstanden, Krabat?«

»Verstanden«, krächzte der Junge und staunte, dass
10 er sprechen konnte: mit heiserer Stimme zwar, aber
deutlich und ohne dass es ihm im geringsten Mühe
machte.

Krabat hatte von solchen schwarzen Schulen schon
gehört: es gab, wie es hieß, davon mehrere; aber er hat-
15 te nie daran geglaubt.
Und nun war er selber in einer von diesen Schulen.
Dem Jungen blieb keine Zeit, sich darüber Gedanken zu machen. Der Meister hatte sich wieder hinter
den Tisch gesetzt und fing an, aus dem Zauberbuch
20 vorzulesen:
»Dies ist die Kunst, einen Brunnen trocken zu
machen, sodass er von einem Tag auf den anderen kein
Wasser gibt«, las er vor. Dreimal im Ganzen las er den
Text. Nach dem dritten Male schloss er das Buch. Eine
25 Weile schwieg er, dann sprach er zu den Raben.
»Ich habe euch ein neues Stück der geheimen Künste gelehrt; lasst hören, was ihr davon behalten habt.
Du da – fang an!«

---

der Zauber, das Übernatürliche
betrügen, irreführen

28

Er zeigte mit dem Finger auf einen der Raben und ließ ihn den Text wiederholen.

»Dies ist die Kunst ... einen Brunnen trocken zu machen, dass er ... von einem Tag auf den anderen kein Wasser gibt ...« 5

Der Müller bestimmte bald diesen Raben, bald jenen und fragte ihn ab. Zwar nannte er keinen der Zwölf beim Namen, doch an der Art, wie sie sprachen, erkannte der Junge sie.

»Und jetzt du!« – der Meister zeigte auf Krabat. 10

Der Junge begann: »Dies ist die Kunst ... – ist die Kunst, einen ... – einen Brunnen ...«

Hier brach er ab und schwieg. Er wusste nicht weiter, beim besten Willen nicht. Würde der Meister ihn strafen? 15

Der Meister blieb ruhig.

»Nächstes Mal, Krabat, solltest du mehr auf die Wörter aufpassen«, sagte er. »Außerdem musst du wissen, dass niemand in dieser Schule zum Lernen gezwungen wird. Lernst du, was ich aus dem Zauber- 20 buch vorlese, ist es zu deinem Nutzen – sonst schadest du nur dir selber.«

Hiermit beendete er die Zauberstunde, die Tür ging auf, die Raben flogen hinaus. Im Flur wurden sie wie- der zu Menschen, auch Krabat – und während er hin- 25 ter den Müllerburschen die Treppe hinaufstieg, kam er sich vor wie nach einem wirren Traum.

Am folgenden Tag, dem Karsamstag, brauchten die Mühlknappen nicht zu arbeiten und die meisten legten sich nach dem Frühstück wieder auf die Pritsche um 30 zu schlafen.

»Auch du«, sagte Tonda zu Krabat, »solltest hinaufgehen und auf *Vorrat* schlafen.«

»Auf Vorrat – wieso?«

»Du wirst es bald wissen. Leg dich jetzt hin und versuch zu schlafen, solange du kannst.«

5 »Schön«, sagte Krabat, »ich geh ja schon ...« Und legte sich schlafen. Er schlief bis Juro ihn wecken kam.

»Aufstehen, Krabat, das Essen steht auf dem Tisch!«

»Was – schon Mittag?«

»Mittag ist gut!«, rief er. »Draußen geht bald die
10 Sonne unter!«

An diesem Tag gab es für die Mühlknappen Mittag- und Abendessen in einem, besonders fett und besonders reichlich, fast schon ein Festmahl.

»Esst euch nur richtig satt!«, sagte Tonda. »Ihr wisst
15 ja, es dauert lange, bevor ihr wieder etwas bekommt!«

Nach dem Essen, zu Beginn der Osternacht, kam der Meister zu ihnen in die Stube und schickte die Burschen, aus sich »das Mal zu holen«.

Sie bildeten einen Kreis um ihn, dann begann er sie
20 *auszuzählen.* Mit Worten, die fremd klangen, zählte der Meister je einmal von rechts nach links und von links nach rechts. Beim ersten Mal traf es Staschko, beim zweiten Mal Andrusch. Schweigend verließen die beiden den Kreis und gingen weg, während der Meister
25 aufs Neue zu zählen anfing. Jetzt waren es Merten und Hanzo, die gehen mussten, dann Lyschko und Petar – zum Schluss blieben Krabat und Tonda übrig.

Tonda machte Krabat ein Zeichen, dass er ihm

---

auf Vorrat, im Voraus
auszählen, durch Zählen auswählen und für eine Aufgabe bestimmen

folgen möge. Schweigend verließen auch sie die Mühle. Tonda holte noch zwei Wolldecken. Eine davon gab
er Krabat, dann gingen sie in Richtung Schwarzkollm,
am Mühlenweiher vorbei. Als sie in den Wald kamen,
brach die Nacht herein.   5

»Wohin gehen wir?«, wollte Krabat wissen.

»Zum Kreuz, zu Bäumels Tod«, sagte Tonda. »Vor
vielen Jahren ist hier ein Waldarbeiter namens Bäumel
ums Leben gekommen: bei der Arbeit, wie man sagt –
genau weiß das heute niemand mehr.«   10

»Und wir?«, fragte Krabat. »Warum sind wir hier?«

»Weil der Meister es so verlangt«, sagte Tonda.
»Wir müssen – wie alle – die Osternacht unter freiem
Himmel sein, je zwei miteinander an einer Stelle, wo
jemand gewaltsam zu Tode gekommen ist.«   15

»Und was nun?«, fragte Krabat weiter.

»Wir machen ein Feuer an«, sagte Tonda. »Dann
wachen wir unter dem Kreuz bis der Morgen kommt –
und zu Beginn des Tages werden wir uns das Mal auf die
Stirn zeichnen: einer dem anderen.« Sie hielten das   20
Feuer so niedrig, dass man den Schein in Schwarzkollm
nicht sehen konnte. Jeder in seiner Decke saßen sie
unter dem Holzkreuz und wachten. Tonda schien keine
Lust zu haben, sich mit Krabat unterhalten zu wollen.
Mit dem Rücken gegen das Kreuz saß er da, unbeweg-   25
lich, den Blick *starr* in die Ferne, von jetzt an sagte er
überhaupt nichts mehr. Als Krabat ihn leise beim
Namen rief, gab er ihm keine Antwort: ein Toter hätte
nicht mehr schweigen, nicht starrer blicken können.

---

starr, unbeweglich

31

Mit der Zeit wurde Tonda dem Jungen unheimlich. Er erinnerte sich, davon gehört zu haben, dass manche Leute sich auf die Kunst verstanden, »aus sich hinauszugehen«, indem sie ihren Körper verließen, während
5 ihr wahres Ich seine eigenen Wege ging, unsichtbar, auf geheimen *Pfaden*, einem geheimen Ziel nach. War Tonda aus sich hinausgegangen? Konnte es sein, dass er hier am Feuer saß und in Wirklichkeit ganz woanders war?

10   »Ich muss wach bleiben«, dachte Krabat.

Er sorgte dafür, dass das Feuer gleichmäßig brannte, legte neue Zweige in die Flammen. So vergingen die Stunden. Die Sterne zogen am Himmel weiter, die Schatten der Häuser und Bäume wanderten unterm
15 Mond hin.

Plötzlich, so schien es, kam das Leben in Tonda zurück.

»Die Glocken ... Hörst du?«, sagte er.

Seit dem *Gründonnerstag* schwiegen die Glocken;
20 jetzt, gegen die Mitte der Osternacht, fingen sie wieder zu klingen an. Von Schwarzkollm klangen sie herüber.

Fast zugleich mit den Glocken fing in Schwarzkollm eine Mädchenstimme zu singen an; sie sang ein altes Osterlied. Krabat kannte es, hatte es selbst als Kind in
25 der Kirche gesungen; aber es war ihm, als hörte er es heute zum ersten Mal. Nun begann eine Gruppe von zwölf oder fünfzehn weiteren Mädchen, die das Lied im Chor zu Ende sangen. Dann stimmte das eine Mädchen das nächste Lied an – und so sangen sie weiter.

---

der Pfad, der kleine Weg
der Gründonnerstag, der Donnerstag vor Ostern

Krabat kannte das von zu Hause. In der Osternacht zogen die Mädchen singend die Dorfstraße auf und ab, von Mitternacht bis zum beginnenden Morgen. Sie gingen zu dreien und vieren nebeneinander in dichten Reihen, und eine von ihnen, das wusste er, war die Kantorka: Sie, mit der schönsten und reinsten Stimme von allen, ging in der ersten Reihe und durfte vorsingen – sie allein.

Die Glocken klangen von ferne, die Mädchen sangen, und Krabat, am Feuer unter dem Holzkreuz sitzend, wagte kaum zu atmen. Er lauschte nur, lauschte zum Dorf hinüber und war wie verzaubert.

Tonda legte einen Zweig aufs Feuer.

»Ich hatte ein Mädchen lieb«, sagte er. »Worschula war ihr Name. Nun liegt sie seit einem halben Jahr auf dem *Friedhof* von Seidenwinkel: ich hab ihr kein Glück gebracht. – Du musst wissen, dass keiner von uns auf der Mühle den Mädchen Glück bringt. Ich weiß nicht, woran das liegt, und ich will dir auch keine Angst machen. Solltest du aber jemals ein Mädchen lieb haben, Krabat, dann lass es die anderen nicht merken. Sorge dafür, dass der Meister es nicht *erfährt* – und auch Lyschko nicht, der ihm alles erzählt.«

»Haben der Meister und Lyschko damit zu tun, dass dein Mädchen gestorben ist?«, fragte Krabat.

»Ich weiß es nicht«, sagte Tonda. »Ich weiß nur, dass Worschula noch am Leben wäre, hätte ich ihren Namen für mich behalten. Ich habe das erst erfahren, als es zu spät war. Du aber, Krabat – du weißt es nun, und du weißt es rechtzeitig: Wenn du je ein Mädchen

___

der Friedhof, der Ort, wo die Toten liegen
erfahren, merken

33

hast, nenne niemandem auf der Mühle ihren Namen! Um nichts in der Welt. Niemandem, hörst du! Im Wachen nicht und im Schlaf nicht – damit du euch nicht ins Unglück bringst.«

5 »Da sei beruhigt«, sagte Krabat. »Ich mache mir nichts aus Mädchen und kann mir nicht vorstellen, wie sich das ändern sollte.«

Zu Beginn des Tages verstummten die Glocken und der Gesang im Dorf. Tonda schnitt mit dem Messer
10 zwei Holz*späne* aus dem Kreuz, die taten sie ins Feuer und ließen sie an den Enden *ankohlen.* »Was ein *Drudenfuß* ist«, fragte Tonda, »das weißt du wohl?«

»Nein«, sagte Krabat.

»Sieh her!«

15 Mit der Fingerspitze zeichnete Tonda eine Figur in den Sand: einen Stern mit fünf Spitzen, gebildet aus ebenso vielen geraden Linien, die sich mit zwei anderen überschnitt, sodass sich das Ganze in einem Zug zeichnen ließ.

20 »Dies ist das Mal«, sagte Tonda. »Versuche es nachzuziehen!«

»Das kann nicht so schwer sein«, meinte der Junge. »Du hast es erst so gemacht ... und dann so ... und dann so ...«

25 Beim dritten Mal glückte es Krabat, den Drudenfuß fehlerlos in den Sand zu zeichnen.

»Gut«, sagte Tonda, wobei er ihm einen der beiden Holzspäne in die Hand gab. »Knie dich ans Feuer und

---

der Span, ein kleines, dünnes Stück Holz
ankohlen, schwarz werden
der Drudenfuß, das Fünfeck, das Pentagramm

34

zeichne mir über die *Glut* weg das Mal auf die *Stirne*.
Ich werde dir vorsprechen, was du zu sagen hast ...«

Während die beiden sich gegenseitig den Drudenfuß
auf die Stirn schrieben, sprach er ihm langsam nach:

>»Ich zeichne dich, Bruder,
Mit Kohle vom Holzkreuz,
Ich zeichne dich
Mit dem Mal der geheimen
Bruderschaft.«

5

---

die Glut, das Feuer ohne Flamme
die Stirne, der obere Teil des Gesichts zwischen Augen und Haar

Dann tauschten sie miteinander den Osterkuss links-
herum, machten Sand auf die Feuerstelle und traten
den Heimweg an.

Sie gingen über die Felder, außen am Dorf entlang, auf
5 den Wald zu – da sahen sie plötzlich vor sich Gestalten
im frühen Licht. Lautlos, in langer Reihe kamen die
Mädchen des Dorfes ihnen entgegen: jede mit einem
Wasser*krug*.
  »Komm«, sagte Tonda leise zu Krabat, »sie haben
10 das Osterwasser geholt, wir wollen sie nicht erschrecken ...«
  Sie versteckten sich und ließen die Mädchen vor-
überziehen.
  Das Osterwasser, der Junge wusste es, musste man
15 schweigend am Ostermorgen vor Sonnenaufgang aus
einem Brunnen holen und schweigend nach Hause
tragen. Wenn man sich darin wusch, bekam man
Schönheit und Glück für ein ganzes Jahr – so wenigstens sagten die Mädchen.
20 Und außerdem konnte man, wenn man das Osterwasser ins Dorf trug, ohne sich dabei umzusehen, dem
künftigen Liebsten *begegnen*: das sagten die Mädchen
auch – und wer weiß, was davon zu halten war.

Der Meister hatte ein *Ochsenjoch* vor der geöffneten
25 Haustür festgenagelt. Als die Burschen zurückkamen,
mussten sie einzeln darunter hindurchgehen, mit den

---

der Krug, die Kanne
begegnen, treffen
der Ochse, das Rind
das Joch, die Stange, die den Ochsen mit dem Wagen verbindet

Worten: »Ich *beuge* mich unter das Joch der geheimen Bruderschaft.«

Im Hausflur wartete der Meister auf sie. Nun mussten die Knappen vor dem Meister niederknien und ihm versichern: »Ich werde dir, Meister, in allen Dingen gehorchen, jetzt und immer.«

Noch wusste Krabat nicht, dass er dem Meister von nun an gehörte, mit Leib und Seele, auf Tod und Leben, mit Haut und Haar. Er stellte sich zu den anderen Mühlknappen, die im hinteren Teil des Ganges standen und auf die Morgengrütze zu warten schienen – alle, wie Tonda und er, mit dem Drudenfuß auf der Stirn.

Die letzten kamen, und nachdem sie sich unter das Joch gebeugt und das Versprechen gegeben hatten, lief mit großem Lärm die Mühle an.

»Los!«, rief der Meister den Knappen zu. »An die Arbeit!«

»Und dies«, dachte Krabat, »nennt sich nun Ostersonntag! Die Nacht nicht geschlafen, kein Frühstück im Bauch – aber arbeiten müssen wir für drei!«

Selbst Tonda kam mit der Zeit außer Atem und fing zu schwitzen an. Schwitzen mussten sie alle an diesem Morgen, dass ihnen die Hemden am Leib klebten und die Hosen dazu.

»Wie lange soll das so weitergehen?«, fragte sich Krabat.

Die Drudenfüße auf ihren Stirnen verschwinden mehr und mehr beim Schwitzen.

Dann geschieht etwas Unerwartetes.

Krabat trägt einen schweren Sack die Treppe zum

---

beugen, unterwerfen, unterordnen

37

Mahlgang hinauf. Es kostet ihn seine letzte Kraft, seinen ganzen Willen. Gleich wird er unter der Last zusammenbrechen – da plötzlich ist es mit aller Mühe vorbei!

»Tonda!«, ruft er. »Sieh her!«

Mit einem Sprung ist er oben und hebt den Sack hoch, als sei er mit Bettfedern statt mit Korn gefüllt.

Die Mühlknappen freuen sich. Tonda hält das Mahlwerk an. »Schluss für heute!«

»Brüder!«, ruft Staschko. »Nun lasst uns feiern!«

»Esst Brüder, esst – und vergesst den Wein nicht!«

Sie essen, sie trinken, sie lassen sich's wohl sein.

Am Ostermontag nahmen die Müllerburschen ihre gewohnte Arbeit auf – nur dass Krabat die Arbeit jetzt leichtfiel. Die Zeiten, in denen er Abend für Abend halb tot vor Müdigkeit auf seine Pritsche gefallen war, waren vorbei.

Krabat war froh. Er konnte sich denken, wie es dazu gekommen war. Als er das nächste Mal mit Tonda allein war, sprach er mit ihm darüber.

»Du hast Recht«, sagte Tonda. »Solang wir den Drudenfuß auf der Stirn hatten, haben wir schwer arbeiten müssen – bis zu dem Augenblick, da auch der letzte sich ihn heruntergeschwitzt hatte. Dafür wird uns die Arbeit von nun an leichter sein, das ganze Jahr lang.« Über die Osternacht sprachen sie nie mehr. Aber immer, wenn Krabat an die Osternacht dachte, fiel ihm sogleich die Kantorka ein: vielmehr ihre Stimme, wie er sie damals gehört hatte, von Schwarzkollm herüber, um Mitternacht. Er hätte sie gern vergessen, doch es gelang ihm nicht.

Einmal die Woche, am Freitag, war Zauberstunde in

der schwarzen Kammer. Krabat versuchte sich alles, was sie der Meister lehrte, zu merken. Denn Krabat hatte inzwischen verstanden: Wer die Kunst der Künste gelernt hatte, hatte über andere Menschen Macht; und Macht zu gewinnen – so viel wie der Meister besaß, wenn nicht mehr –, das war sein hohes Ziel, dafür lernte und lernte er.

Manchmal schickte der Meister die Mühlknappen paarweise oder in kleinen Gruppen mit Aufgaben über Land, um ihnen die Möglichkeit zu geben, das in der schwarzen Schule Gelernte *anzuwenden*.

Eines Morgens kam Tonda zu Krabat und meinte: »Heute muss ich mit Andrusch nach Wittichenau auf den *Vieh*markt. Wenn du mitkommen magst – der Meister ist einverstanden.«

»Fein«, sagte Krabat. »Das ist was anderes als die ewige Müllerei!«

Sie schlugen den Waldweg ein, der auf die Landstraße führt. Es war ein schöner, sonniger Julitag. Krabat merkte, dass Tonda und Andrusch Gesichter machten, als ginge es auf die *Kirmes*. Das konnte nicht nur am schönen Wald liegen. Andrusch war ja auch sonst ein lustiger Vogel und immer gut aufgelegt; aber dass Tonda vergnügt war, kam selten vor. Zwischendurch spielte er mit der Ochsen*peitsche*.

»Du übst das wohl«, meinte Krabat, »damit du es auf dem Heimweg kannst?«

»Auf dem Heimweg?«

---

anwenden, gebrauchen
das Vieh, das Nutztier
die Kirmes, das Volksfest
die Peitsche, ein langer Stock mit einer Schnur

40

»Ich denke, wir sollen in Wittichenau einen Och-sen kaufen.«

»Im Gegenteil«, meinte Tonda.

In diesem Augenblick machte es hinter dem Jungen »Muh!«

Als er sich umdrehte, stand da, wo eben noch Andrusch gestanden hatte, ein fetter Ochse, rotbraun, mit glattem Fell, der ihn freundlich ansah.

»He!«, sagte Krabat und rieb sich die Augen.

Tonda war plötzlich auch weg. An seinem Platz stand ein altes Bäuerlein, Holzschuhe an den Füßen, eine Schnur um die Jacke, mit einer alten Mütze.

»He!«, sagte Krabat zum zweiten Mal; da klopfte ihm jemand auf die Schulter und lachte.

Als Krabat sich umdrehte, sah er Andrusch wieder.

»Wo bist du denn gewesen, Andrusch? Und wo ist der Ochse hin, der eben noch da stand, wo du jetzt stehst?«

»Muh!«, sagte Andrusch mit der Ochsenstimme.

»Und Tonda?«

Vor Krabats Augen verwandelte sich der Bauer in Tonda zurück.

»Ach – so ist das?«, meinte der Junge.

»Ja«, sagte Tonda, »so ist das. Wir werden mit Andrusch Eindruck machen auf dem Viehmarkt.«

»Du willst ihn – verkaufen?«

»Der Meister wünscht es so.«

»Und wenn Andrusch geschlachtet wird?«

»Keine Angst!« sagte Tonda. »Verkaufen wir Andrusch, so brauchen wir nur den Kopf*strick* zurück-zuhalten, an dem wir ihn führen: dann kann er sich

---

der Strick, die dicke Schnur

41

jederzeit weiterverwandeln, in welche Gestalt auch immer.«

»Und wenn wir den Strick aus der Hand geben?«

»Wehe, wenn ihr es wagt!«, rief Andrusch. »Dann müsste ich für den Rest meiner Tage ein Ochse bleiben und *Heu* und Stroh fressen – haltet euch das vor Augen und macht mich nicht unglücklich!«

Tonda und Krabat sorgten mit ihrem Ochsen in Wittichenau auf dem Viehmarkt für Aufregung und Bewunderung. Vieh*händler* kamen von allen Seiten herbei. Solch einen fetten Ochsen gab es nicht alle Tage: da hieß es zugreifen, ehe ein anderer einem das schöne Tier vor der Nase wegkaufte!

»Was kostet der Bursche?«

Die Viehhändler sprachen von allen Seiten auf Tonda ein. Der Krause-Fleischer aus Hoyerswerda wollte fünfzehn *Gulden* für Andrusch geben und Leuschner aus Königsbrück sechzehn.

Tonda schüttelte zu den Angeboten den Kopf. »Bisschen wenig«.

Bisschen wenig? Er sei wohl nicht recht im Kopf! Ob er sie denn für dumm halte.

Dumm oder nicht, meinte Tonda, das müssten die Herren selber am allerbesten wissen.

»Schön«, sagte Krause aus Hoyerswerda, »ich gebe dir achtzehn.«

»Für achtzehn behalt ich ihn selbst«, sagte Tonda. Er gab ihn auch Leuschnern aus Königsbrück nicht für

---

das Heu, getrocknetes Gras
der Händler, der Käufer und Verkäufer
der Gulden, das Goldstück

neunzehn und Neubauers Gustav aus Senftenberg
nicht für zwanzig.

»Dann ist es uns egal mit deinem Ochsen!«, sagte
der Krause-Fleischer; und Leuschner rief: »Dumm
müsst ich sein, mich zu ruinieren! Ich gebe dir zwei- 5
undzwanzig und dies ist mein letztes Wort.«

Es schien so, als habe sich der Handel festgefahren.
Da schob sich ein ungewöhnlich dicker Mann durch
die Menge. Er glänzte vom Schwitzen. Er trug einen
sehr vornehmen, grünen Anzug mit Silkerknöpfen, 10
eine goldene Uhrkette über der Jacke und, gut sichtbar
für alle, einen dicken Geld*beutel*.

Ochsenblaschke aus Kamenz war einer der reichsten

---

der Beutel, die Tasche

und geübtesten Viehhändler weit und breit. Er schob Leuschnern und Neubauers Gustav beiseite, dann rief er mit seiner lauten Stimme:

»Wie kommt denn der fette Ochse an den dummen
5 Bauern? Ich nehme ihn für fünfundzwanzig.«

Tonda antwortete: »Bisschen wenig, Herr ...«

»Bisschen wenig? Na hör mal!«

Blaschke zog eine große silberne Schnupftabakdose hervor, machte den Deckel auf, hielt sie Tonda hin.
10 »Schnupftabak gefällig?« Erst schnupfte er selber, dann ließ er den alten Bauern schnupfen.

»Also siebenundzwanzig – und her mit ihm!«

»Bisschen wenig, Herr!«

Blaschke lief rot an.
15 »He – wofür hältst du mich? Siebenundzwanzig für deinen Ochsen und keinen Hosenknopf drüber, so wahr ich der Ochsenblaschke aus Kamenz bin!«

»Dreißig, Herr«, sagte Tonda. »Für dreißig bekommt ihr ihn.«
20 »Das ist *Wucher*!« rief Blaschke. »Willst du mich denn auf den Hund bringen?« Er verdrehte die Augen. »Hast du kein Herz im Leib? Bist du blind für die Not eines armen Handelsmannes? Lass mit dir reden, Alter, und gib mir den Ochsen für achtundzwanzig!«
25 Tonda blieb hart.

»Dreißig – und basta! Diesen wunderschönen Ochsen geb ich nicht unterm Preis her. Ihr *ahnt* nicht, wie schwer ich mich von ihm trenne. Müsste ich meinen eigenen Sohn verkaufen, das könnte nicht schlimmer
30 sein.«

---

der *Wucher*, der zu hohe Preis
ahnen, vorausfühlen, spüren

44

Ochsenblaschke sah, dass er hier nicht weiterkam. Aber der Ochs war ein prima Bursche.

»Na, dann gib ihn schon her«, rief er. »Ich hab meinen weichen Tag heut. Und alles nur, weil ich ein Herz für die armen Leute habe. Die Hand drauf – und *topp*!« 5

»Topp!«, sagte Tonda.

Dann nahm er die Mütze herunter und ließ sich von Blaschke die dreißig Gulden in die Hand zählen, Stück für Stück.

»Hast du mitgezählt?« 10

»Hab ich.«

»Dann her mit dir!«

Ochsenblaschke nahm Andrusch beim Strick und wollte ihn wegziehen; Tonda jedoch hielt den Dicken am Arm zurück. 15

»Was gibt's?«, fragte Blaschke.

»Nun ja«, sagte Tonda und tat unsicher. »Bloß eine Kleinigkeit.«

»Nämlich?«

»Wenn der Herr Blaschke so gut wär und möcht mir 20 den Kopfstrick dalassen, tät ich's ihm danken ...«

»Den Kopfstrick?«

»Als Erinnerung. Weil der Herr Blaschke doch wissen sollte, wie schwer ich mich von dem Ochsen trenne. Ich geb ihm auch etwas anderes dafür, dem Herrn 25 Blaschke – damit er ihn wegführen kann, meinen armen Ochsen, der ja nun ihm gehört ...«

Tonda nahm den Strick ab, den er um die Jacke gebunden hatte. Und Blaschke erlaubte ihm, ihn gegen den Kopfstrick des Ochsen zu tauschen. Dann 30

_____

topp, es gilt

45

zog der Händler mit Andrusch ab; und kaum war er um die nächste Ecke, da fing er zu lachen an – denn er hatte zwar dreißig Gulden für Andrusch bezahlt, und das war ein gesunder Preis: Doch in Dresden, da sollte
5 es ihm nicht schwer fallen, diesen Ochsen für das Doppelte an den Mann zu bringen, vielleicht auch für mehr.

Am Waldrand im Gras warteten Tonda und Krabat auf Andrusch. Sie hatten in Wittichenau ein Stück
10 *Speck* und ein Brot gekauft, davon aßen sie nun.

»Du warst gut!«, sagte Krabat zu Tonda. »Du hättest dich sehen müssen, wie du dem Dicken die Goldstücke aus der Nase gezogen hast: Bisschen wenig, Herr, bisschen wenig ... Ein Glück nur, dass du zur rechten
15 Zeit an den Kopfstrick gedacht hast; den hätte ich glatt vergessen.«

»Alles Gewohnheit«, sagte Tonda.

Sie hoben ein Stück von dem Brot und dem Speck für Andrusch auf und beschlossen sich eine Weile
20 langzulegen. Satt, wie sie waren, und müde vom weiten Weg auf der Landstraße, schliefen sie tief und fest – bis ein »Muh!« sie weckte und Andrusch vor ihnen stand: wieder als Mensch.

»He, ihr da – wacht auf! Habt ihr nicht wenigstens
25 ein Stück Brot für mich?«

»Brot und Speck«, sagte Tonda. »Setz dich zu uns her, Bruder, und lass dir's schmecken! Wie ging's dir denn mit deinem Ochsenblaschke?«

»Wie wird es schon gegangen sein!«, sagte Andrusch.
30 »Dass es für einen Ochsen bei dieser Hitze kein reines

---

der Speck, fettes Fleisch

Vergnügen ist, kilometerweit übers Land zu laufen und Staub zu schlucken, versteht sich ja wohl von selbst – noch dazu, wenn man's nicht gewöhnt ist. Jedenfalls bin ich nicht böse gewesen, als Blaschke ins Oßlinger Gasthaus ging. ›Sieh mal da!‹, ruft der Gastwirt, wie er uns kommen sieht, ›der Herr Vetter aus Kamenz! Wie geht's, wie steht's?‹ – ›Gut geht's‹, sagte Blaschke, ›wenn bloß der Durst nicht so groß wär bei dieser Hitze!‹ – ›Da können wir helfen!‹, meint der Wirt. ›Komm in die Gaststube an den Herrentisch! Bier ist genug im Keller, das schaffst du in sieben Wochen nicht – nicht einmal du schaffst das!‹ – ›Und der Ochs?‹, fragte der Dicke, ›mein Dreißigguldenochse?‹ – ›Den bringen wir in den Stall, er soll Wasser und Futter haben, soviel er mag!‹ – Ochsenfutter, versteht sich ...«

Andrusch nahm ein großes Stück Speck mit dem Messer, roch daran und schob es in den Mund, dann fuhr er fort:

»Sie haben mich in den Stall gebracht, der Gastwirt von Oßling hat nach dem Stallmädchen gerufen. ›He, Kattel – sorg mir gut für den Ochsen vom Kamenzer Vetter, dass er uns nicht vom Fleisch fällt.‹ – ›Schon recht‹, sagte die Kattel und gab mir auch gleich einen Arm voll Heu. Da reicht es mir mit dem Ochsenleben, und ohne lange nachzudenken sag ich, mit Menschenworten sag ich es: ›Heu und Stroh könnt ihr selber fressen – ich mag Brot und Speck und ein schönes Bier dazu!‹

»Ach du grüne Sieben!«, rief Krabat. »Und weiter?«

»Nun ja«, sagte Andrusch. »Die drei sind vor Schreck auf das Hinterteil gefallen und haben um Hilfe geschrien. Da habe ich zum Abschied noch einmal

›Muh!‹ gesagt – und dann bin ich als *Schwälbchen* zur Stalltür hinausgeflogen, das war alles. Ich bin froh, dass ich wieder da bin!«

»Ich auch«, sagte Tonda. »Du hast deine Sache gut gemacht – und Krabat, denke ich, wird eine Menge dabei gelernt haben.«

»Ja«, rief der Junge. »Ich weiß nun, wie spaßig es ist, wenn man zaubern kann!«

»Spaßig?« Der Altgesell wurde ernst. »Du magst Recht haben – spaßig ist es manchmal auch.«

Ende Oktober war es noch einmal sonnig und warm geworden fast wie im Spätsommer. Sie nutzten die schönen Tage, um im Wald Holz zu holen. Zu viert, Juro und Staschko, Tonda und Krabat, fuhren sie mit dem Ochsenwagen los. Auf dem Heimweg fuhr Staschko mit Juro auf dem Wagen, während Tonda und Krabat zu Fuß nach der Mühle zurückkehrten, einen kürzeren Pfad wählend. Tonda ging neben Krabat und sagte:

»Ich möchte dir etwas schenken, Krabat.« Der Altgesell zog sein *Klapp*messer aus der Tasche. »Zur Erinnerung.«

»Wirst du uns denn verlassen?«, fragte der Junge.

»Vielleicht«, sagte Tonda.

»Aber der Meister! Ich kann mir nicht denken, dass er dich ziehen lässt.«

»Manches geschieht, was sich mancher nicht denken kann«, sagte Tonda.

---

die Schwalbe, ein kleiner Vogel
klappen, auf- und zumachen

»So darfst du nicht sprechen!«, rief Krabat. »Bleib
mir zuliebe! Ich kann mir das Leben in der Mühle
ohne dich nicht denken.«

»Manches im Leben«, sagte Tonda, »kann sich
mancher nicht vorstellen, Krabat. Man muss damit fer- 5
tigwerden.«

Tonda war stehen geblieben.

»Nimm schon«, sagte er und gab Krabat das Messer,
und Krabat verstand, dass er es nehmen musste.

»Es hat«, sagte Tonda, »eine besondere Eigenschaft, 10
die du kennen musst. Sollte dir je Gefahr drohen –

ernste Gefahr –, dann *verfärbt* sich die *Klinge*, sobald du sie aufklappst.«

»Wird sie dann schwarz?«, fragte Krabat.

»Ja«, sagte Tonda. »Als ob du sie über die Flamme einer Kerze gehalten hättest.«

Er zeigte ihm, wie sich das Messer öffnen ließ. Die Klinge klappte heraus, sie war schwärzlich verfärbt.

»Jetzt du!« Damit schloss er das Messer wieder und gab es dem Jungen. »Lass sehen, ob du es kannst!«

Als Krabat die Klinge aufklappen ließ, war sie *blank* und unverfärbt.

Auf den schönen Herbst kam ein früher Winter. Zwei Wochen nach *Allerheiligen* schneite es. Krabat musste nun wieder Schnee fegen und den Weg zur Mühle frei halten. Trotzdem kam in der nächsten Neumondnacht der *Gevatter* mit seinem Pferdewagen quer über die verschneite Wiese, ohne stecken zu bleiben und ohne dass das Fuhrwerk eine Spur machte.

Dem Jungen machte der Winter nichts aus, da es bei allem Schnee nicht besonders kalt war; aber den anderen Müllerburschen schien es etwas auszumachen: Von Woche zu Woche wurden sie ungemütlicher und je näher das Jahresende herankam, desto schwieriger wurden sie.

Weihnachten kam, für die Mühlknappen waren es Tage wie alle anderen. Unfreundlich und ungern gingen sie ihrer Arbeit nach.

---

verfärben, eine andere Farbe bekommen
die Klinge, der scharfe Teil des Messers
blank, hell, sauber
Allerheiligen, der 1. November
der Gevatter, der Alte

Krabat fragte den Altgesellen, was mit den Burschen los sei.

»Was haben die?«

»Angst«, meinte Tonda und blickte an ihm vorbei.

»Angst wovor?«, wollte Krabat wissen.

»Ich darf nicht darüber sprechen«, sagte der Altgesell. »Früh genug wirst du es erfahren.«

»Und du?«, fragte Krabat. »Du, Tonda, hast du keine Angst?«

»Mehr als du denkst«, sagte Tonda.

Am *Silvesterabend* gingen sie früher als sonst zu Bett. Der Meister hatte sich während des ganzen Tages nicht blicken lassen. Vielleicht saß er in der schwarzen Kammer und hatte sich eingeschlossen, wie er das manchmal tat – oder er war mit dem Pferdewagen über Land gefahren. Keiner hatte ihn gesehen, keiner sprach von ihm.

Wortlos legten sich die Burschen nach dem Abendbrot auf die Strohsäcke.

»Gute Nacht«, sagte Krabat wie jeden Abend.

»Halt den Mund!«, rief Petar, und Lyschko warf einen Schuh nach ihm.

»Immer mit der Ruhe! Man wird doch noch »Gute Nacht« sagen dürfen ...«

Ein zweiter Schuh kam geflogen, er traf ihn an der Schulter; den dritten fing Tonda ab.

»Lasst den Jungen in Frieden!«, sagte er. »Auch diese Nacht wird vorübergehen.«

Dann sagte er zu Krabat:

»Du sollst dich hinlegen, Junge, und still sein.«

---

der Silvesterabend, der letzte Abend im Jahr

51

Krabat gehorchte. Er ließ es geschehen, dass Tonda ihn zudeckte und ihm die Hand auf die Stirn legte.

»Schlaf du nun, Krabat – und komm gut hinüber ins neue Jahr!«

5   Gewöhnlich schlief Krabat die Nächte durch bis zum nächsten Morgen, es sei denn, man weckte ihn. Heute erwachte er gegen Mitternacht ganz von selbst. Es wunderte ihn, dass das Licht in der Lampe brannte und dass auch die anderen Burschen noch wach waren 10 – alle, soweit er es sehen konnte.

Sie lagen auf ihren Pritschen und schienen auf etwas zu warten. Sie atmeten kaum, keiner rührte sich.

Im Hause war es totenstill.

Auf einmal hörte er dann den Schrei.

15   War ein Unglück geschehen?

Wer war es, der da geschrien hatte in höchster Todesnot?

Krabat dachte nicht lange nach. Mit einem Sprung war er auf den Beinen. Er rannte zur Bodentür, wollte 20 sie aufmachen, wollte die Treppe hinuntereilen, um nachzusehen.

Die Tür war von außen verschlossen. Sie ließ sich nicht öffnen.

Jemand legte ihm dann den Arm um die Schulter. 25 Es war Juro, der dumme Juro, Krabat erkannte ihn an der Stimme.

»Komm«, sagte Juro. »Leg dich jetzt wieder auf deinen Strohsack.«

»Aber der Schrei!«, sagte Krabat. »Der Schrei vor-30 hin!«

»Meinst du«, sagte Juro, »wir hätten ihn nicht gehört?« Damit führte er Krabat an seinen Platz zurück.

Die Mühlknappen saßen auf ihren Pritschen. Schweigend, mit großen Augen sahen sie auf Krabat. Nein – nicht auf Krabat! Sie sahen an ihm vorbei, auf den Schlafplatz des Altgesellen.

»Ist – Tonda nicht da?«, fragte Krabat.

»Nein«, sagte Juro. »Leg dich jetzt wieder hin und versuch zu schlafen. Und *heul* nicht, hörst du! Mit Heulen macht man nichts ungeschehen.«

Am Neujahrsmorgen fanden sie Tonda. Mit dem Gesicht nach unten lag er am Fuß der Bodentreppe. Die Mühlknappen schienen nicht überrascht zu sein; nur Krabat konnte es nicht verstehen, dass Tonda tot war. Weinend warf er sich über ihn und rief:

»Sag doch was, Tonda, sag doch was!«

Er griff nach der Hand des Toten. Gestern noch hatte er sie gespürt, auf der Stirn, vor dem Einschlafen. Jetzt war sie starr und kalt und sehr fremd war sie ihm geworden, sehr fremd.

»Steh auf«, sagte Michal. »Wir können ihn hier nicht liegen lassen.«

Er und Merten trugen den Toten in die Stube und legten ihn auf ein Brett.

»Wie ist es dazu gekommen?«, fragte der Junge.

Michal brauchte eine Weile, bevor er antwortete.

»Er hat sich«, sagte er langsam, »den Hals gebrochen.«

»Dann ist er wohl – auf der Treppe *fehl*getreten – im Dunklen ...«

»Kann sein«, sagte Michal.

---

heulen, weinen
fehl, falsch

53

Das zweite Jahr

Der Meister blieb während der nächsten Tage verschwunden, in dieser Zeit stand die Mühle still. Die
Mühlknappen lagen faul auf den Pritschen oder saßen
am warmen Ofen. Sie aßen wenig und sprachen nicht
5 viel, besonders nicht über Tondas Tod. Als habe es
einen Altgesellen, der Tonda hieß, auf der Mühle im
Koselbruch nie gegeben.
   Am Ende der Pritsche, die ihm gehört hatte, lagen
Tondas Kleider, sauber geordnet. Juro hatte die Sachen
10 am Abend des Neujahrstages heraufgebracht, und die
Burschen bemühten sich so zu tun, als gäbe es sie nicht.
Krabat war traurig. Dass Tonda ums Leben gekommen
war, konnte kein Zufall gewesen sein: Das wurde ihm
mehr und mehr klar, je länger er sich darüber Gedan-
15 ken machte. Es musste da etwas geben, wovon er
nichts wusste, was die Gesellen vor ihm *geheim hielten*.
Was war es? Warum hatte Tonda es ihm nicht gesagt?
   Fragen und wieder Fragen, die dem Jungen im Kopf
umhergingen. Nur auf wenige bekam er Antwort.
20   Eines Tages fragte er Michal, warum in der Mühle
die Zeit so schnell vergehe.
   »Das erste Jahr in der Mühle im Koselbruch gilt für
drei«, meinte Michal. »Du hast bestimmt gemerkt,
dass du seit deiner Ankunft viel älter geworden bist,
25 Krabat – genau um drei Jahre.«
   »Aber das ist doch nicht möglich!«
   »Dieser Mühle sind noch ganz andere Dinge

---

geheim halten, etwas sagen wollen

54

möglich – das solltest du inzwischen gemerkt haben.«

Am Morgen nachdem sie Tonda begraben hatten, hatten die Mühlknappen bestimmt, dass Hanzo von nun an der Altgeselle sein sollte, und Hanzo *war einverstanden*.

Der Meister blieb weg bis zum Vorabend des Dreikönigstages. Sie lagen schon auf den Pritschen und Krabat wollte gerade das Licht ausmachen, da öffnete sich die Bodentür. Der Meister stand da, sehr bleich, wie mit Kreide bestrichen. Er warf einen Blick auf die Burschen. Dass Tonda nicht da war, schien er nicht zu sehen; wenigstens ließ er es sich nicht merken.

»An die Arbeit!«, rief er. Dann drehte er sich um und verschwand für den Rest der Nacht.

In die Müllerburschen kam Leben. Sie sprangen von den Strohsäcken und zogen eilig die Kleider über.

»Los!«, rief Hanzo. »Der Meister wird sonst ungeduldig, ihr kennt ihn ja!«

Petar und Staschko rannten zum Mühlenweiher, um die Schleuse zu öffnen. Die anderen rannten in die Mahlstube, füllten Korn auf und ließen die Mühle anlaufen. Als sie in Fahrt kam, wurde es den Gesellen leicht ums Herz.

»Sie mahlt wieder!«, dachte Krabat. »Die Zeit geht weiter ...«

Um Mitternacht waren sie mit der Arbeit fertig. Als sie in den Schlafraum kamen, sahen sie, dass auf der Pritsche, die Tonda gehört hatte, jemand lag: ein kleines, blasses Bürschlein mit schmalen Schultern und rotem Haar. Sie stellten sich um ihn und weckten ihn – so, wie sie Krabat geweckt hatten, damals, vor einem

---

einverstanden sein, einig sein

55

Jahr. Und wie Krabat vor ihnen erschrocken war, so erschrak nun das Bürschlein, als er die elf Gesellen sah.

»Keine Angst!«, sagte Michal. »Wir sind hier die Müllerburschen, vor uns brauchst du keine Angst zu haben. – Wie heißt du denn?«

5 »Witko. – Und du?«

»Ich bin Michal – und dies hier ist Hanzo, der Altgesell. Dies ist Merten – dies ist Juro ...«

Am anderen Morgen, als Witko zum Frühstück kam, trug er Tondas Kleider. Sie passten ihm, wie für ihn 10 gemacht. Er schien sich nichts weiter dabei zu denken und fragte auch nicht, wem sie vorher gehört hatten. Das war gut so, das machte die Sache für Krabat etwas leichter.

15 Wie der Winter begonnen hatte, so blieb er auch: viel Schnee und mild. Das Eis vor der Schleuse und im Mühlgraben machte den Burschen wenig zu schaffen in diesem Jahr. Dafür schneite es oft und viel – zum Ärger des neuen Lehrjungen, der es kaum schaffte, den 20 Schnee wegzumachen. Aber dann war der Winter doch zu Ende gegangen und der Frühling stand vor der Tür. Ostern war diesmal spät im Jahr, es fiel in die zweite Aprilhälfte. Am Abend des Karfreitags wurde Witko in die schwarze Schule aufgenommen.

25 Den Karsamstag verbrachten die Müllerburschen, indem sie auf Vorrat schliefen. Am späten Nachmittag gab ihnen Juro wieder besonders viel und gut zu essen. »Haltet euch nur dazu«, mahnte Hanzo, »ihr wisst ja, es dauert lange bevor ihr wieder etwas bekommt!«

30 Als es dunkel wurde, schickte der Meister die Knappen aus, sich das Mal zu holen. Alles war genau wie im Jahr zuvor. Wieder wurden die Burschen vom Meister

ausgezählt, wieder gingen sie paarweise aus der Mühle. Krabat kam diesmal mit Juro zusammen.

»Wohin?«, fragte Juro, nachdem sie sich Decken geholt hatten.

»Wenn es dir recht ist: zu Bäumels Tod.« 5

»Ist gut«, meinte Juro, »wenn du den Weg weißt.«

»Ich gehe voraus«, sagte Krabat.

Sie gingen am Waldrand von Baum zu Baum und Karabt war froh, als er endlich an das Holzkreuz kam. Sie sammelten Zweige und machten ein Feuer. 10

Krabat tat die Decke um sich und setzte sich unter das Kreuz. Wie Tonda vor einem Jahr hier gesessen hatte, saß er heute da.

Krabat dachte an Tonda – und dachte zugleich an die Kantorka. Ohne dass er es wollte, musste er an sie 15 denken. Er freute sich auf den Augenblick, da er sie würde singen hören, vom Dorf herüber um Mitternacht.

Und wenn er sie nicht hörte? Wenn ein anderes Mädchen vorsang in diesem Jahr? 20

Juro war still geworden, er saß am Feuer und bewegte sich kaum. Hätte er nicht ab und zu einen Zweig ins Feuer gelegt, Krabat hätte geglaubt, er sei eingeschlafen.

So wurde es Mitternacht. 25

Wieder hörte man von ferne die Osterglocken und wieder begann in Schwarzkollm eine Mädchenstimme zu singen – die Stimme, die Krabat kannte, auf die er gewartet hatte.

Krabat lauschte dem Gesang der Mädchen im Dor- 30 fe, wie die Stimmen sich abwechseln, erst die eine und dann die anderen, und während die anderen singen, wartet er schon darauf, dass die eine wieder singt.

»Was für ein Haar sie wohl hat, die Kantorka?«, muss er denken.

»Braun vielleicht – oder schwarz – oder blond?«

5 Das möchte er wissen. Er möchte das Mädchen sehen, das er da singen hört, es verlangt ihn danach.

»Wenn ich aus mir hinausginge?«, denkt er. »Für wenige Augenblicke nur – bloß so lange, um ihr ins Gesicht zu sehen ...«

10 Die Kunst des Aus-sich-Hinausgehens hatte Krabat inzwischen gelernt. Sie gehörte zu jenen wenigen Künsten, vor der der Meister die Burschen gewarnt hatte – »weil es leicht sein kann, dass jemand, der seinen Körper verlassen hat, nicht mehr hineinfindet.« Denn das

15 hatte der Meister den Mühlknappen gesagt: Aus sich hinausgehen konnte man erst nach Beginn der Dunkelheit – und zurückkehren nur vor Beginn des neuen Tages.

Wer sich vergaß und wer länger wegblieb, für den

20 gab es kein Zurück mehr. Sein Körper blieb ihm verschlossen und wurde wie tot begraben, während sein Geist dann umherirren musste, ruhelos zwischen Tod und Leben.

Schon spricht er die Formel, schon spürt er, wie er

25 aus seinem Körper herausgeht, in die schwarze Nacht hinaus.

Er wirft einen Blick auf das Feuer zurück: auf Juro, der da sitzt, als werde er jeden Augenblick einschlafen – auf sich selbst, wie er am Holzkreuz sitzt, nicht tot,

30 nicht lebendig. Alles, was Krabats Leben ausmacht, ist nun hier draußen, ist außerhalb. Frei ist es, leicht und

58

unbeschwert.

Krabat lässt seinen Körper allein und geht ins Dorf. Niemand hört ihn, niemand kann ihn sehen. Er selbst aber hört und sieht alles.

5 Singend ziehen die Mädchen mit ihren Laternen und Osterkerzen die Dorfstraße auf und ab.

Krabat tut, was er auch getan hätte, wenn er sichtbar gewesen wäre: Er geht zu den Dorfburschen, die in Gruppen zu beiden Seiten der Straße stehen um den 10 Mädchen zuzuschauen.

Nun weiß Krabat, dass die Kantorka helles Haar hat. Schmal ist sie und groß, und sie hat eine stolze Art, wie sie geht und den Kopf hält. Eigentlich könnte er längst zu Juro ans Feuer zurückkehren, und das sollte er wohl. 15 Doch bisher ist es so gewesen, dass er die Kantorka nur aus der Ferne gesehen hat, vom Straßenrand, und nun will er ihr in die Augen sehen.

Krabat wird eins mit dem Kerzenlicht, das die Kantorka vor sich herträgt. Nun ist er ihr nahe – so nah, 20 wie er nie zuvor einem Mädchen gewesen ist. Er blickt in ein junges Gesicht, das sehr schön ist. Die Augen sind groß und sanft, sie blicken auf ihn herab und sehen ihn nicht – oder doch?

Er weiß, dass es höchste Zeit ist, ans Feuer zurückzu- 25 kehren. Aber die Augen des Mädchens halten ihn fest, er kommt nicht mehr los davon. Die Stimme der Kantorka hört er nur noch von fern, sie ist ihm jetzt nicht mehr wichtig, seit er ihr in die Augen sieht.

Krabat weiß, dass es bald Morgen wird: Er kann sich 30 nicht trennen. Er weiß, dass sein Leben verspielt ist,

---

unbeschwert, sorglos

60

wenn er nicht zur rechten Zeit zurückkehrt: er weiß es
– und schafft es nicht.

Bis er plötzlich einen starken Schmerz spürt.

Krabat fand sich am Waldrand wieder, bei Juro. Auf
seinem Handrücken lag ein glühendes Stückchen
Holz, schnell schüttelte er es ab.

»Krabat!«, rief Juro, »das habe ich nicht gewollt! Du
bist mir auf einmal so merkwürdig gewesen, so anders
als sonst – da habe ich dir ins Gesicht geleuchtet, mit
diesem Span da. Wer konnte denn wissen, dass dir die
Glut auf die Hand fällt ... Zeig her, ob es schlimm ist!«

»Es geht«, sagte Krabat.

Der Schmerz auf dem Handrücken war der Grund dafür, dass Krabat so schnell in seinen Körper hatte hinein-
finden können – um keine Minute zu früh. Wie dankbar war er Juro dafür, aber er durfte es ihm nicht zeigen.

»Es wird Tag«, sagte Krabat, »wir wollen Späne
schneiden.«

Sie schnitten die Späne und taten sie in die Glut.
Dann zeichneten sie sich gegenseitig den Drudenfuß
auf die Stirn und sprachen die Formel der geheimen
Bruderschaft.

Auf dem Heimweg zur Mühle begegneten sie den
Mädchen mit ihren Wasserkrügen. Einen Augenblick
überlegte Krabat, ob er mit der Kantorka sprechen sollte. Aber dann ließ er es bleiben: weil Juro dabei war –
und weil er die Kantorka nicht erschrecken wollte.

Und wieder das Ochsenjoch vor der Tür, und das
Gelöbnis dem Meister gegenüber. Krabat war schlecht

---

das Gelöbnis, das Versprechen

61

bei der Sache. Die Augen der Kantorka gingen ihm nach: und doch hatten sie nur in das Licht einer Osterkerze geblickt, ohne Krabat zu sehen.

»Nächstes Mal will ich ihr sichtbar vor Augen treten«, nahm er sich vor. »Sie soll wissen, dass ich es bin, den sie anblickt.«

Die letzten Burschen waren zurückgekommen, das Wasser schoss in den Mühlgraben ein, die Mühle lief an. Der Meister trieb die zwölf in die Mahlstube, an die Arbeit.

Auch diesmal arbeiteten sie wie die Pferde. Die Füße wurden ihnen schwer mit der Zeit und sie schwitzten, schwitzten sich den Drudenfuß von der Stirn ab.

Diesmal war es Witko, der das Zeichen zum *Jubel* gab.

Dann lachten sie, tranken und aßen und ließen sich's wohl sein.

In der schwarzen Schule gab Krabat sich große Mühe, bald war er genauso gut wie die meisten seiner Mitgesellen. Dem Müller gefiel Krabats Fleiß und er lobte ihn oft. »Ich sehe schon«, sagte er, »dass du es in den geheimen Künsten zu etwas bringen wirst.«

Krabat war stolz darauf, dass der Meister mit ihm zufrieden war. Nur schade, dass er nicht öfter die Möglichkeit hatte zu zeigen, was er gelernt habe.

»Das können wir ändern«, sagte der Meister, als habe er Krabat denken hören. »Morgen gehst du mit Juro nach Wittichenau auf den Markt und verkaufst

---

der Jubel, die laute Freude

ihn für fünfzig Gulden als *Rappenhengst*. Aber pass auf, dass dir der Dummkopf keinen Ärger macht!«

Am nächsten Tag wanderte Krabat mit Juro nach Wittichenau. Er dachte an Ochsenblaschke aus Kamenz und pfiff fröhlich vor sich hin. Der Pferdehandel versprach, eine lustige Sache zu werden. Um so merkwürdiger fand er es, als er merkte, dass Juro traurig war und den Kopf immer tiefer hängen ließ.

»Was hast du?«

»Wieso?«

»Weil du so traurig aussiehst.«

»Was wird es schon sein«, meinte Juro. »Ich schaff das nicht, Krabat – ich hab mich noch nie in ein Pferd verwandelt.«

»Es kann nicht so schwer sein, ich werde dir dabei helfen.«

»Was nützt mir das?«, Juro war stehen geblieben, er sah ihn traurig an. »Wir werden mich in ein Pferd verwandeln, na schön, du wirst mich für fünfzig Gulden verkaufen – und damit ist die Geschichte fertig. Für dich, Krabat, aber nicht für mich! Und warum nicht? Ganz einfach! Wie komme ich aus der Pferdehaut wieder raus, ohne deine Hilfe? Ich glaube fast, der Meister hat das so gemacht, damit er mich los wird.«

»Ach!«, sagte Krabat, »was redest du da!«

»Doch, doch«, sagte Juro. »Ich schaffe das nicht, ich bin viel zu dumm dazu.«

»Und – wenn wir die Rollen tauschen?«, meinte Krabat. »Hauptsache, dass er sein Geld bekommt: dann kann es dem Meister egal sein, wer von uns wen verkauft.«

---

der Rappenhengst, ein schwarzes männliches Pferd

63

Juro war glücklich.

»Dass du das für mich tun willst, Bruder!«

»Lass gut sein«, sagte Krabat. »Versprich mir, mit niemandem darüber zu reden – das andere ist bestimmt
5 nicht schwer, denke ich.«

Pfeifend marschierten sie ihres Weges, bis sie die Dächer von Wittichenau sahen. Da bogen sie von der Landstraße ab, hinter eine Feld*scheune*. »Dies ist ein guter Platz«, sagte Krabat, »da sieht uns keiner, wenn
10 ich mich in das Pferd verwandle. Du weißt ja, dass du mich nicht unter fünfzig Gulden verkaufen darfst. Und bevor du mich aus der Hand gibst, nimm mir die *Zügel* ab: sonst muss ich immer ein Pferd bleiben – und da wüsste ich mir was Besseres!«

15 »Keine Angst«, sagte Juro, »ich werde schon aufpassen! Wenn ich auch dumm bin – so dumm bin ich doch nicht.«

»Schön«, sagte Krabat. »Das soll ein Wort sein.«

Er sagte einen Zauberspruch und verwandelte sich
20 in ein wunderschönes schwarzes Pferd.

Die Pferdehändler auf dem Wittichenauer Markt rissen Mund und Augen auf, als sie den Hengst sahen, und kamen herbeigelaufen.

»Was kostet er?«

25 »Fünfzig Gulden.«

Es dauerte nicht lange und ein Bautzener Pferdehändler war bereit, den geforderten Preis zu zahlen. Da mischte sich, eben als Juro »Topp!« rufen wollte, ein

---

die Scheune, ein Haus, wo Heu und Stoh gelagert wird
der Zügel, die Lederschnur zum Führen von Reittieren

64

fremder Herr in den Handel. Ein vornehmer Mann, in
eleganten Kleidern.

»Er ist dabei, ein schlechtes Geschäft zu machen«,
sagte er zu Juro, mit heiserer Stimme. »Sein Hengst ist
weit mehr wert als fünfzig Gulden – ich gebe ihm hun- 5
dert!«

Der Händler aus Bautzen war wütend. Was musste
ihm dieser verrückte Mensch dazwischen kommen!
Wer war er denn überhaupt? Niemand kannte den
Fremden, der aussah wie ein vornehmer Herr und kei- 10
ner war – bis auf Krabat.

Krabat hatte ihn gleich erkannt, an dem Pflaster
über dem linken Auge und an der Stimme. Wenn er
Juro bloß hätte warnen können! Doch Juro schien von

der Unruhe, die über Krabat gekommen war, nichts zu merken. Wahrscheinlich dachte er nur an die hundert Gulden.

»Was ist?«, sagte der Fremde. Er zog einen Beutel, er warf ihn dem Burschen hin.

Juro bedankte sich.

»Tausend Dank, Herr!«

Im nächsten Augenblick griff der Fremde zu. Er riss Juro die Zügel aus der Hand – ein Satz, und schon saß er auf Krabats Rücken.

»Reitet mir nicht davon, Herr!«, rief Juro. »Die Zügel! Ihr müsst mir die Zügel lassen!«

»Nichts da!« Der Fremde lachte, nun erkannte selbst Juro ihn.

Mit der Peitsche schlug der Meister auf Krabat ein. »Vorwärts!« Und ohne sich weiter um Juro zu kümmern, ritt er davon.

Armer Krabat! Der Meister jagte ihn kreuz und quer durch die Felder und Wiesen, über Stock und Stein.

»Dir werd ich zeigen, wie man gehorsam ist!«

Wenn Krabat langsamer wurde, schlug ihn der Müller mit der Peitsche. Da gab Krabat den Kampf verloren.

»Das hättest du einfacher haben können.« Der Müller stieg vom Pferd, er machte die Zügel los. »Nun mach, dass du wieder ein Mensch wirst!«

Krabat verwandelte sich zurück; die Wunden blieben ihm.

»Nimm sie als Strafe für deinen Ungehorsam! Wenn ich dir eine Aufgabe gebe, hast du sie zu machen – so, wie es dir befohlen ist, und nicht anders. Nächstes Mal kommst du mir nicht so einfach davon, merk dir das!«

Der Meister ließ keinen Zweifel, dass es ihm tödlich ernst war mit seinen Worten.

»Und noch eins!« Nun hob er die Stimme ein wenig. »Ich habe nichts dagegen, wenn du dich an Juro schadlos hältst – da!«

Er gab dem Burschen die Reitpeitsche in die Hand. Dann wandte er sich zum Gehen und wenige Schritte später erhob er sich in die Lüfte: und flog als Vogel davon.

Hinkend trat Krabat den Heimweg an. Alle paar Schritte musste er stehen bleiben, so schwer waren sein Füße geworden. Alle Knochen im Leib taten ihm weh. Als er die Wittichenauer Straße erreicht hatte, ließ er sich in den Schatten des nächsten Baumes fallen. Wenn die Kantorka ihn jetzt sähe – was würde sie sagen?

Nach einer Weile kam Juro des Weges, traurig, mit schlechtem Gewissen.

»He, Juro!«

Der Dummkopf erschrak, als Krabat ihn anrief.

»Du bist das?«

»Ja«, sagte Krabat. »Ich bin das.«

Juro ging einen Schritt zurück. Er zeigte mit der einen Hand auf die Reitpeitsche, während er sich die andere vors Gesicht hielt.

»Du wirst mich schlagen, ja?«

»Das sollte ich wohl«, meinte Krabat. »Der Meister erwartet es jedenfalls.«

»Dann schnell!«, sagte Juro. »Ich habe es verdient, das ist wahr – und da hätte ich's hinter mir.«

---

hinken, schief gehen

»Ob mir meine Wunden dann schneller heilen –
was meinst du?«

»Aber der Meister!«

»Er hat es nicht befohlen«, sagte Krabat. »Es war
bloß ein Rat von ihm. Komm her, Juro, setz dich zu mir
ins Gras!«

»Wie du meinst«, sagte Juro.

Er zog aus der Tasche ein Holzstück, oder was immer
es war, damit zeichnete er einen Kreis um die Stelle,
wo sie saßen; dann machte er drei Kreuze und einen
Drudenfuß in den Kreis.

»Was tust du da?«, wollte Krabat wissen.

»Ach – nichts«, sagte Juro. »Zeig mal den Rücken
her! – O weh, das sieht ja böse aus!«

Er pfiff durch die Zähne, er suchte in seinen
Taschen.

»Ich hätte da eine Salbe, die trage ich immer bei
mir, von meiner Großmutter – soll ich dich damit ein-
reiben?«

»Wenn es was nützt ...«, meinte Krabat, und Juro
versicherte: »Schaden tut es auf keinen Fall.«

Vorsichtig strich er Krabat die Salbe auf. Sie war
angenehm kühl. Krabat hatte den Eindruck, als wüch-
se ihm eine neue Haut.

»Dass es so was gibt!«, rief er überrascht.

»Meine Großmutter«, meinte Juro, »war eben eine
kluge Frau. Wir sind überhaupt eine kluge Familie,
Krabat – mich ausgenommen. Wenn ich mir vorstelle,
dass du durch meine Dummheit ein Pferd hättest bleiben müssen für alle Zeiten ...« Er schüttelte sich und
verdrehte die Augen.

»Hör auf!«, sagte Krabat. »Du siehst ja, wir haben
Glück gehabt.«

Friedlich wanderten sie miteinander heim. Als sie den Koselbruch fast durchquert hatten, kurz vor der Mühle, fing Juro zu hinken an.

»Du mußt mithinken, Krabat!«

»Wieso?«

»Weil der Meister nichts von der Salbe zu wissen braucht. Niemand braucht das zu wissen.«

»Und du?«, fragte Krabat. »Warum hinkst du auch?«

»Weil ich Schläge von dir bekommen habe, vergiss das nicht!«

Der Herbst zog sich diesmal lang hin, kühl und grau, mit viel Nebel und Regen. Sie nutzten die trockenen Tage um Holz zu holen. Die übrige Zeit verbrachten sie in der Mühle. Jeder war froh, wenn er eine Arbeit hatte, bei der er nicht in den Regen hinausmusste.

Der erste Schnee fiel in diesem Jahr in der *Andreasnacht*, reichlich spät also. Wieder kam die große Unruhe über die Mühlknappen auf der Mühle im Koselbruch, wieder wurden sie schweigsam und ungemütlich. Die Tage, an denen nicht mindestens einer mit einem anderen Streit hatte, wurden von Woche zu Woche seltener.

Krabat erinnerte sich an das Gespräch mit Tonda vor einem Jahr: Hatten die Burschen auch diesmal Angst, weil einem von ihnen der Tod bevorstand?

Dass der Gedanke ihm nicht schon früher gekommen war! Nun verstand er die Angst der Burschen, nun teilte er sie. Jeder von ihnen konnte in diesem Jahr an der Reihe sein. Aber wer? Und warum nur?

die *Andreasnacht*, der 30. November

69

Krabat wagte nicht, die Mitgesellen danach zu fragen.

Öfter als sonst zog er Tondas Messer hervor, ließ es aufklappen, prüfte die Klinge. Die Klinge war blank, und sie blieb es auch. Er also, Krabat, schien außer Gefahr zu sein – aber schon morgen konnte sich das geändert haben.

Im Stall stand ein Sarg bereit. Krabat sah ihn zufällig, als er am Tag vor dem Heiligen Abend zum Holz ging.

Wer hatte den Sarg gemacht? Seit wann stand er hier bereit – und für wen wohl?

Der Weihnachtsmorgen war gekommen, es hatte geschneit in der Heiligen Nacht. Als er zum Brunnen ging um sich zu waschen, kam Michal des Weges: bleich im Gesicht. Als Krabat mit ihm sprechen wollte, winkte er ab. Sie verstanden sich, ohne dass zwischen ihnen ein Wort fiel.

Seither war Michal verändert. Er schloss sich von Krabat und allen anderen ab.

So kam der Silvesterabend heran.

Der Meister war seit dem Morgen verschwunden, er zeigte sich nicht. Die Nacht kam, die Mühlknappen gingen zu Bett.

Krabat, obgleich er beschlossen hatte, sich wach zu halten, schlief ein wie die anderen auch. Um Mitternacht wurde er wach und begann zu lauschen.

Ein *dumpfes* Geräusch im Haus – und ein Schrei – und dann Stille.

---

der Sarg, ein langer Kasten, in den die Toten gelegt werden
dumpf, hohl, tief

Krabat zog sich die Decke über die Ohren und wünschte sich, tot zu sein.

Am Neujahrsmorgen fanden sie Michal. Er lag in der Mehlkammer auf dem Boden, der Wiege*balken* war heruntergefallen und hatte ihn erschlagen. Sie legten 5 ihn auf ein Brett und trugen ihn in die Stube, dort nahmen sie Abschied von ihm.

Am Nachmittag trugen sie ihn hinaus und begruben ihn.

---

der Balken, ein großes dickes Brett

Das dritte Jahr

Der Meister blieb während der nächsten Tage verschwunden, in dieser Zeit stand die Mühle still. Die Mühlknappen lagen faul auf den Pritschen oder saßen am warmen Ofen. Hatte es je einen Gesellen, der
5 Michal hieß, auf der Mühle im Koselbruch gegeben?

Krabats Gedanken versuchten in diesen Tagen stets die gleiche Frage zu beantworten. Tonda und Michal, das schien auf der Hand zu liegen, hatten nicht zufällig sterben müssen, beide in der Silvesternacht. Wel-
10 ches Spiel wurde da gespielt – und von wem und nach welchen Regeln?

Der Müller blieb außer Haus bis zum Vorabend des Dreikönigstages. Witko wollte gerade das Licht ausmachen, da öffnete sich die Bodentür. Der Meister stand
15 da, sehr bleich, wie mit Kalk bestrichen. Er warf einen Blick auf die Burschen. Dass Michal nicht da war, schien er nicht zu sehen. »Geht an die Arbeit!«, rief er. Dann drehte er sich um und verschwand für den Rest der Nacht.
20 In die Müllerburschen kam Leben. Sie sprangen von den Strohsäcken und zogen sich eilig die Kleider über. Petar und Staschko rannten zum Mühlenweiher, um die Schleuse zu öffnen. Die anderen rannten in die Mahl-stube, füllten Korn auf und ließen die Mühle an-
25 laufen. Als sie in Fahrt kam, wurde es den Gesellen leicht ums Herz.

»Sie mahlt wieder!«, dachte Krabat. »Die Zeit geht weiter ...«

Um Mitternacht waren sie mit der Arbeit fertig. Als
30 sie in den Schlafraum kamen, sahen sie, dass auf der

Pritsche, die Michal gehört hatte, jemand lag: ein Junge von vierzehn Jahren etwa, recht klein für sein Alter,
das fiel ihnen auf - und er hatte ein schwarzes Gesicht,
aber rote Ohren. Sie stellten sich um ihn und weckten
ihn. Das Bürschlein erschrak, als er die elf Gesellen   5
sah. Krabat glaubte, den Jungen zu kennen – woher nur?

   »Vor uns brauchst du keine Angst zu haben«, sprach
er ihn an. »Wir sind hier die Müllerburschen. – Wie
heißt du denn?«

   »Lobosch. – Und du?«   10

   »Ich bin Krabat. Und dies hier ...«

   Der Junge mit dem schwarzen Gesicht unterbrach
ihn.

»Krabat? – Ich kannte mal einen, der Krabat hieß ...«

»Aber?«

Jetzt ging Krabat ein Licht auf.

5 »Dann bist du der kleine Lobosch aus Maukendorf!«, rief er. »Und schwarz bist du, weil du den Mohrenkönig gemacht hast.«

»Ja«, sagte Lobosch, »zum letzten Mal. Denn nun bin ich hier Lehrjunge auf der Mühle.«

10 Am anderen Morgen, als Lobosch zum Frühstück kam, trug er Michals Kleider. Er hatte versucht, sich den Ofenruß wegzuwaschen – es war ihm nicht ganz geglückt.

»Was tut's!«, meinte Andrusch. »Nach einem hal-
15 ben Tag in der Mehlkammer gibt sich das.«

Auch Lobosch kam um den Vormittag in der Mehlkammer nicht herum. Krabat wollte ihm helfen. Er dachte an Tonda, er dachte an Michal. Zuerst konnte er nichts für Lobosch tun. Der Bursche musste sehen,
20 wie er den Vormittag hinter sich brachte: mit dem Besen in einer dicken Wolke aus Mehlstaub. Da half alles nichts, damit musste er fertig werden, das ließ sich nicht ändern.

Krabat konnte es kaum erwarten, bis Juro die Bur-
25 schen zu Tisch rief. Während die anderen in die Stube gingen, lief er zur Mehlkammer machte die Tür auf. »Rauskommen – Mittag!«

Lobosch erschrak. »Ich hab's nicht geschafft«, sagte er. »Ob der Meister mich von der Mühle fortjagd – was
30 meinst du?«

»Er wird keinen Grund haben«, sagte Krabat.

Er sprach eine Zauberformel, er zeichnete mit der

74

linken Hand einen Drudenfuß in die Luft. Da erhob sich der Staub in der Kammer und flog über Loboschs Kopf weg dem Wald zu.

Die Kammer war leergefegt. Sauber war sie. Der Junge bekam große Augen.

»Wie macht man das?«

Krabat blieb ihm die Antwort schuldig.

»Versprich mir«, sagte er, »dass du es niemandem erzählen wirst. – Und nun lass uns ins Haus gehen, Lobosch, sonst wird die Suppe kalt.«

Kein Schnee fiel in diesen Februartagen, aber es war sehr kalt. Nun mussten die Mühlknappen wieder jeden Morgen in den Mühlgraben steigen und das Eis vom Boden wegmachen, und immer wieder schimpften sie über die harte Kälte. Der Schnee verschwand, das Frühjahr kam, Krabat lernte fleißig. Er war längst besser als seine Mitgesellen. Der Meister lobte ihn und war höchst zufrieden mit Krabat. Er schien nicht zu merken, dass Krabat nur lernte und lernte und weiterlernte, um sich auf den Tag des Kampfes mit ihm vorzubereiten.

Am Karfreitag nahmen sie Lobosch in die schwarze Schule auf. Wie staunte der Kleine, als er vom Meister in einen Raben verwandelt wurde.

Krabat aber passte auf jedes Wort auf, das der Meister aus dem Zauberbuch vorlas.

»Dies ist die Kunst, in Gedanken zu einem anderen Menschen zu sprechen, dass er die Worte hören kann und versteht, als kämen sie aus ihm selbst …«

Er hatte begriffen, wie wichtig die neue Lektion war – für ihn und die Kantorka. Wort für Wort lernte er die Formel. Vor dem Einschlafen dann, auf der Pritsche, sprach er sie so oft nach, bis er sicher war, dass er sie nie mehr vergessen würde.

Am Ostersamstag, bei Beginn der Dunkelheit, schickte der Meister die Mühlknappen wieder aus, sich das Mal zu holen. Beim Auszählen kamen diesmal Krabat und Lobosch zusammen.

Krabat hatte Decken geholt, zwei für jeden, weil es nach Regen roch. Beide machten sie sich auf den Weg zum Ort von Bäumels Tod. Am Waldrand sammelten sie Zweige und machten ein Feuer. Krabat erklärte dem Jungen, weshalb sie hier draußen säßen, an dieser Stelle, und dass sie nun miteinander die Osternacht am Feuer wachen müssten.

Gegen Mitternacht regnete es leicht. Lobosch zog sich die Decke über den Kopf.

»Tu das nicht!«, sagte Krabat. »Dann wirst du die Glocken nicht hören können und den Gesang im Dorf.«

Wenig später hörten sie, wie in der Ferne die Osterglocken zu läuten anfingen und sie hörten die Stimme der Kantorka von Schwarzkollm herüber: Und im Wechsel mit ihr, die anderen Mädchen.

»Klingt schön«, sagte Lobosch nach einer Weile. Für Krabat gab es nur die Kantorka jetzt, ihre Stimme – und die Erinnerung daran, wie ihre Augen geleuchtet hatten im Schein der Osterkerze.

Diesmal war Krabat entschlossen nicht, wieder aus sich hinauszugehen. Hatte der Meister sie nicht die Kunst gelehrt, in Gedanken zu einem anderen Menschen zu sprechen, »dass er die Worte hören kann und versteht, als kämen sie aus ihm selbst«?

Gegen Morgen sprach Krabat die neue Formel. Er richtete alle Kraft, die in seinem Herzen war, auf die Kantorka: bis er zu spüren glaubte, nun habe er sie *erreicht* – und da sprach er zu ihr.

»Es bittet dich jemand, Kantorka, dass du ihn [5] anhörst«, sprach er. »Du kennst ihn nicht, er aber kennt dich seit langem. Wenn du an diesem Morgen das Osterwasser geholt hast, dann mache es auf dem Heimweg so, dass du hinter den anderen Mädchen zurückbleibst. Allein musst du gehen mit deinem Was- [10] serkrug, weil der Jemand dich treffen will – und er mag nicht, dass es vor aller Augen geschieht, weil es nur dich etwas *angeht* und ihn, und sonst niemanden auf der Welt.«

Dreimal sagte er den Spruch, stets mit den gleichen [15] Worten. Dann wurde es hell, der Gesang und die Glocken wurden stumm. Nun wurde es Zeit, dass er Lobosch den Drudenfuß ziehen lehrte, mit den Spänen vom Holzkreuz, die Krabat mit Tondas Messer geschnitten und in der Glut hatte erklärt lassen. [20]

Krabat hatte es auf dem Heimweg sehr eilig. Kurz vor dem Koselbruch blieb Krabat stehen. Er suchte in sei- nen Taschen, dann griff er sich an den Kopf und sagte:

»Was?«, fragte Lobosch.

»Das Messer.« [25]

Der Junge wusste, dass Krabat das Messer von Tonda bekommen hatte.

»Das du von Tonda bekommen hast?«

»Ja – von Tonda.«

---

erreichen, ankommen; bei jemandem sein
angehen, mit etwas zu tun haben

77

»Dann müssen wir umkehren«, sagte er, »und es holen!«

»Nein«, sagte Krabat und hoffte, dass Lobosch die Lüge nicht merken würde. »Lass mich allein zurücklau-
5 fen, das geht schneller. Du kannst dich in der Zwischenzeit hier hinsetzen und auf mich warten.«

Während Lobosch sich unter einen Baum ins Gras setzte, eilte Krabat zurück an die Stelle, wo, wie er wusste, die Mädchen vorbeikommen mussten, wenn sie das
10 Osterwasser nach Hause trugen: dort versteckte er sich.

Nicht lange, da kamen die Mädchen mit ihren Wasserkrügen und zogen in langer Reihe an ihm vorüber. Die Kantorka, Krabat sah es, war nicht dabei. Sie hat-
15 te ihn also gehört und sie hatte verstanden, worum er sie aus der Ferne gebeten hatte.

Als dann die Mädchen verschwunden waren, sah er sie kommen. Allein kam sie. Da trat er hervor und ging auf sie zu.

20 »Ich bin Krabat, ein Mühlknappe aus dem Koselbruch«, sagte er. »Fürchte dich nicht vor mir.«

Die Kantorka blickte ihm ins Gesicht, ganz ruhig, als habe sie auf ihn geartet. »Ich kenne dich«, sagte sie, »denn ich habe von dir geträumt. Von dir und von
25 einem Menschen, der Böses mit dir im Sinn hatte – aber wir haben uns nicht um ihn gekümmert, du und ich. Seither habe ich darauf gewartet, dass ich dich treffen würde: und jetzt bist du also da.«

»Ich bin da«, sagte Krabat. »Aber ich kann nicht
30 lang bleiben – sie warten auf mich in der Mühle.«

»Auch ich muss nach Hause«, sagte die Kantorka. »Ob wir uns wiedersehen?«

Dann machte sie einen Finger nass in dem Krug

mit dem Osterwasser – und ohne ein Wort zu sagen, wischte sie Krabat den Drudenfuß von der Stirn: ganz sanft und ohne Eile, wie selbstverständlich.

Da war es dem Burschen, als habe sie einen *Makel* von ihm genommen. Und Krabat war ihr unendlich 5 dankbar: dass es sie gab und dass sie ihm gegenüberstand und ihn anblickte.

Lobosch war unter dem Baum am Waldrand eingeschlafen. Als Krabat ihn weckte, machte er große Augen und fragte: 10

---

der Makel, der Fehler, etwas Schlechtes

»Hast du es?«

»Was?«

»Das Messer!«

»Ach ja«, sagte Krabat.

5   Er zeigte ihm Tondas Messer und ließ die Klinge herausklappen: sie war schwarz.

»Du solltest sie reinigen«, meinte Lobosch. »Und gründlich einfetten.«

»Ja«, sagte Krabat. »Das sollte ich wohl.«

10   Dann eilten sie heimwärts. In dem Augenblick, da die Burschen den Wald verließen und auf die Mühle zurannten, brach das Wetter los. Durch und durch nass kamen sie in der Mühle an.

Der Meister erwartete sie voll Ungeduld. Sie beug-
15 ten sich unter das Ochsenjoch.

»Wo habt ihr das Mal?«

»Das Mal?«, fragte Lobosch, »da ist es«, und zeigte auf seine Stirn.

»Da ist nichts!«, rief der Meister.

20   »Dann hat der Regen es weggewaschen ...«

Der Müller schien einen Augenblick zu überlegen. »Lyschko!«, befahl er dann. »Hol mir vom Herd ein Stück Holzkohle – aber beeil dich!« Er schrieb ihnen den Drudenfuß auf die Stirn, das brannte wie Feuer auf
25 ihrer Haut. »An die Arbeit!«

Sie mussten an diesem Morgen länger und härter arbeiten als sonst; es dauerte unendlich lange, bis sie sich das Mal von der Stirn geschwitzt hatten. Dann aber war es soweit, auch diesmal – und Lobosch, der
30 kleine Lobosch, konnte mit einem Mal einen vollen Mehlsack ohne Schwierigkeiten hochheben.

»Juchhe!«, rief er. »Seht nur, wie leicht mir die Arbeit geworden ist! Seht nur, zu was für Kräften ich da gekommen bin!«

Die Müllerburschen verbrachten den Rest des Tages bei Osterküchlein und Wein, Gesang und Tanz.

Krabat war nicht mehr Krabat von früher. Er tat, was zu tun war, er sprach mit den Burschen, er antwortete 5 ihnen auf Fragen – aber in Wahrheit war er weit weg von allem, was in der Mühle vorging: er war bei der Kantorka und die Kantorka war bei ihm, und die Welt wurde immer heller ringsum, immer grüner mit jedem Tag. Eines Abends wurde Krabat zum Meister gerufen. 10 Er hatte kein gutes Gefühl, als er vor ihm stand und den Blick seines einen Auges auf sich gerichtet sah.

»Ich habe mit dir zu reden. Du weißt«, fuhr er fort, »dass ich viel von dir halte, Krabat, und dass du es in den geheimen Künsten zu etwas bringen kannst, was 15 nicht jeder von deinen Mitgesellen erreichen kann. Dennoch sind mir in letzter Zeit Zweifel gekommen, ob ich dir vertrauen kann. Sage mir offen, worum es sich handelt: noch ist Zeit dazu.«

Krabat antwortete. 20

»Ich habe dir nichts zu sagen, Meister.«

»Wirklich nicht?«

»Nein«, sagte Krabat mit fester Stimme.

»Dann geh – und klage nicht, wenn du Ärger bekommst!« 25

Der Meister war in den nächsten Tagen äußerst freund- lich zu Krabat. Eines Abends, das war gegen Ende der zweiten Woche nach Pfingsten, traf er auf ihn im Hausflur, während die anderen schon beim Nachtessen saßen. 30

»Es sollte mir leidtun«, sagte er, »wenn du alles,

81

was ich an jenem Abend gesprochen habe, geglaubt hast! Ich weiß ja, dass du ein guter Junge bist, mein bester Schüler seit langem, und auf dich kann ich mich verlassen.«

5 Krabat dachte: Was wollte der Müller von ihm?

»Um es kurz zu machen«, sagte der Meister. »Ich möchte dich nicht im Zweifel darüber lassen, wie ich in Wirklichkeit von dir denke. Was ich bisher keinem anderen meiner Schüler erlaubt habe, dir erlaube ich

10 es: Nächsten Sonntag brauchst du nicht zu arbeiten, ich gebe dir einen freien Tag. Du kannst gehen wohin du magst – nach Maukendorf oder Schwarzkollm oder Seidenwinkel, das soll mir gleich sein. Und wenn du erst Montagmorgen zurück bist, ist es auch in Ord-

15 nung.«

Der Meister hatte ihm eine *Falle gestellt*, das war klar, und nun hieß es aufpassen. Eines schien jedenfalls sicher zu sein: dass er überall hingehen durfte, nur nach Schwarzkollm nicht. Am liebsten wäre er einfach

20 in der Mühle geblieben. Aber das hätte zu sehr danach ausgesehen, als ob er die Absicht des Meisters durchschaut hätte. »Dann also – auf nach Mauken-dorf!« dachte er. »Und um Schwarzkollm herum einen großen *Bogen*!«

25 Aber vielleicht war das auch falsch? Vielleicht war es klüger, wenn er durch Schwarzkollm ging, mitten hindurch – weil das der kürzeste Weg war nach Maukendorf.

Aber: der Kantorka durfte er in Schwarzkollm nicht

30 begegnen.

---

jemandem eine Falle stellen, jemanden hereinlegen, betrügen
der Bogen, der Teil eines Kreises, hier: der Umweg

»Kantorka!«, bat er das Mädchen, nachdem er die Formel gesprochen hatte. »Ich muss dich um etwas bitten heute – ich, Krabat, bin es, der darum bittet. Du darfst diesen Tag keinen Schritt aus dem Haus gehen, was auch geschehen möge. Und sieh auch nicht aus dem Fenster, versprich mir das!«

Krabat vertraute darauf, dass die Kantorka seine Bitte befolgen werde.

Da kam, als er sich eben auf den Weg machen wollte, Juro ums Haus.

»Na, Krabat – du scheinst es ja nicht besonders eilig zu haben hier wegzukommen. Darf ich mich eine Weile zu dir ins Gras setzen, ja?«

Er holte ein Stück Holz aus der Tasche und zeichnete einen Kreis um die Stelle, an der sie saßen. Dann zeichnete er einen Drudenfuß und drei Kreuze in den Kreis.

»Du wirst dir wohl denken können, womit das zu tun hat«, meinte er.

»Damit sorgst du dafür, dass der Meister uns weder sehen noch hören kann, wenn wir hier sitzen und reden: nicht aus der Nähe und nicht aus der Ferne – so ist es doch?«

»Nein«, sagte Juro. »Er könnte uns sehen und hören, aber er wird es nicht tun, weil er uns vergessen hat: Das ist der Sinn des Kreises. Solang wir darin sind, denkt der Meister an alles Mögliche – bloß nicht an dich und mich.«

»Nicht dumm«, sagte Krabat, »nicht dumm ...«

Und plötzlich, als hätte ihn der Blitz getroffen, sagte er. »Du bist nicht der Dummkopf, für den wir dich alle halten, nicht wahr – du tust nur so als ob!«

»Und wenn es so wäre?«, sagte Juro. »Ich bin viel-

83

leicht nicht ganz so dumm, wie alle meinen. Du aber, sei mir nicht böse, Krabat, bist dümmer, als du dir's träumen lässt.«

»Ich?«

5   »Weil du immer noch nicht gemerkt hast, was hier gespielt wird in dieser Mühle! Sonst wüsstest du deinen Fleiß zu bremsen, nach außen hin wenigstens – oder bist du dir nicht im Klaren, in welcher Gefahr du lebst?«

10 »Doch«, sagte Krabat. »Ich ahne es.«

»Nichts ahnst du!«, sagte Juro. »Ich werde dir etwas sagen, Krabat – ich, der ich all die Jahre hindurch den Dummen gespielt habe. Wenn du so weitermachst, wirst du in dieser Mühle der nächste sein, der sterben

15 muss. Michal und Tonda und alle anderen, die draußen begraben liegen: alle haben den gleichen Fehler gemacht wie du. Sie haben zu viel gelernt in der schwarzen Schule und haben es den Meister merken lassen. – Du weißt ja, dass jedes Jahr in der Neujahrs-

20 nacht einer von uns sterben muss.«

»Für den Meister?«

»Für ihn«, sagte Juro. »Er hat einen *Pakt* mit dem ... nun mit den Herrn Gevatter. Jedes Jahr muss er ihm einen von seinen Schülern zum Opfer bringen, sonst

25 ist er selber dran.«

»Woher weißt du das?«

»Man hat Augen im Kopf. Außerdem habe ich es im Zauberbuch gelesen.«

»Du?«

30 »Ich bin dumm, wie du weißt – oder sagen wir: wie der Meister und alle glauben. Deshalb nimmt man

---

der Pakt, das Versprechen

mich nicht für voll, deshalb bin ich gerade gut genug für die Hausarbeit. Ich muss putzen, saubermachen, Staub wischen – und auch ab und zu in der schwarzen Kammer, wo das Zauberbuch liegt.«

»Und du hast im Zauberbuch gelesen!« 5

»Ja«, sagte Juro. »Und du bist der Erste und Einzige, dem ich es sage. Es gibt einen Weg, den Meister zu besiegen: nur einen! Wenn du ein Mädchen kennst, das dich lieb hat – das könnte dich retten. Falls sie den Meister bittet, dich freizugeben und falls sie dann die 10 Probe besteht.«

»Die – Probe?«

»Davon ein andermal, wenn wir mehr Zeit haben«, sagte Juro. »Jetzt brauchst du nur dies zu wissen: Pass auf, dass der Meister nicht erfährt, wer das Mädchen ist 15 – sonst geht dir's wie Tonda.«

»Sprichst du von Worschula?«

»Ja«, sagte Juro. »Der Meister hat ihren Namen zu früh erfahren, er hat sie Böses träumen lassen, das gibt es, bis sie so *verzweifelt* war, dass sie ins Wasser gegan- 20 gen ist. Seitdem war Tondas Kraft gebrochen. Das Ende kennst du.«

»Was rätst du mir?«, fragte Krabat.

»Was ich dir rate? Geh nach Maukendorf oder sonst wohin – und versuche, den Meister irrezuführen, so gut 25 du kannst.«

Krabat blickte nicht rechts und links, als er durch Schwarzkollm ging. Die Kantorka war nicht zu sehen. Wer weiß, was sie ihren Leuten erzählt hatte, um im Haus zu bleiben. 30

---

verzweifelt, ohne Hoffnung

Er machte eine Pause im Gasthof und wanderte dann weiter nach Maukendorf, wo er sich einen schönen Abend machte.

Wie es am Sonntag war, wollte der Meister am anderen Morgen von Krabat wissen.

»Ach«, meinte Krabat, »ganz gut soweit.« Dann berichtete er von dem Besuch in Maukendorf.

Der Meister sah sich Krabat von unten bis oben an: wohlwollend, wie es schien.

»Du kannst sonntags von jetzt an ausgehen, wenn du magst, und du kannst auch daheimbleiben, wenn es dir lieber ist. Dies aber erlaube ich nur dir, meinem Meisterschüler!«

Krabat wartete ungeduldig darauf, sich mit Juro zu treffen. Es verging eine halbe Woche, dann musste der Meister wieder einmal über Land reiten, für zwei Tage, vielleicht auch auf drei, wie er vorher noch sagte.

In der folgenden Nacht wurde Krabat von Juro geweckt.

»Komm in die Küche – dort wollen wir miteinander reden.«

In der Küche zog Juro um Tisch und Stühle den Zauberkreis mit dem Drudenfuß und den Kreuzen. Er machte eine Kerze an und stellte sie zwischen sich und Krabat.

»Ich habe dich warten lassen«, begann er. »Aus Vorsicht, verstehst du. Niemand darf erfahren, dass wir uns heimlich treffen. Ich habe dir letzten Sonntag Verschiedenes gesagt, du wirst dir darüber inzwischen Gedanken gemacht haben.«

»Ja«, sagte Krabat. »Du wolltest mir einen Weg zeigen, wie ich mich vor dem Meister retten kann –

86

und zugleich ist das, wenn ich dich recht verstanden habe, ein Weg, wie ich mich beim Meister für Tonda und Michal *rächen* könnte.«

»So ist es«, sagte Juro. »Wenn ein Mädchen dich lieb hat, kann sie am letzten Abend des Jahres zum Meister kommen, um dich freizubitten. Schafft sie die Probe, die er von ihr verlangt, dann ist er es, der in der Neujahrsnacht sterben muss.«

»Und die Probe ist schwer?«, fragte Krabat.

»Das Mädchen muss zeigen, dass sie dich kennt«, sagte Juro. »Sie muss dich herausfinden unter den Mitgesellen und sagen: Das ist er.«

---

rächen, feindlich reagieren

»Und dann?«

»Das ist alles, was das Zauberbuch befiehlt – und wenn du es liest oder hörst, wirst du meinen, das sei ein Kinderspiel. Aber der Meister versteht sich darauf, die Worte auf seine besondere Weise *auszulegen*. Du musst«, sagte Juro, »im Laufe des Sommers und Herbstes so weit kommen, dass du dich dem Willen des Meisters entgegensetzen kannst. Wenn wir als Raben auf der Stange sitzen und er befiehlt: »Tut die *Schnäbel* unter den linken Flügel!« – dann musst du als einziger deinen Schnabel unter den rechten tun können. Du verstehst mich. Indem du bei der Probe anders tust als wir übrigen, gibst du dich zu erkennen: Das Mädchen weiß dann, auf welchen Raben es zeigen muss und die Sache ist in Ordnung.«

»Eines verstehe ich nicht«, sagte Krabat nach langem Schweigen. »Warum hat kein anderer je versucht, diesen Weg zu gehen?«

»Die meisten kennen ihn nicht – und die wenigen, die Bescheid wissen, hoffen von Jahr zu Jahr, dass sie davonkommen: Wir sind zwölf, und es trifft ja nur einen in jeder Silvesternacht. Außerdem ist da noch was im Spiel, was du wissen solltest. Falls ein Mädchen die Probe schafft und der Meister gestürzt, wird dann ist es im Augenblick seines Todes vorbei mit allem, was er uns je gelehrt hat: dann sind wir mit einem Schlag weiter nichts als gewöhnliche Müllerburschen – und aus ist's mit aller Zauberei.«

»Wäre das nicht der Fall, wenn der Meister auf andere Weise zu Tode käme?«

---

auslegen, erklären
der Schnabel, der Mund eines Vogels

»Nein«, sagte Juro. »Und dies ist ein weiterer Grund für die, die den Weg kennen, jedes Jahr den Tod eines Mitgesellen in Kauf zu nehmen.«

»Und du?«, fragte Krabat. »Du selber hast doch auch nichts dagegen getan?«

»Weil ich es nicht gewagt habe«, sagte Juro. »Und weil ich kein Mädchen habe, das mich freibitten würde.«

»Dass wir uns recht verstehen«, meinte er schließlich. »Noch brauchst du dich nicht zu entscheiden, Krabat, nicht endgültig. Doch wir sollten schon jetzt damit anfangen, alles zu tun, was in unserer Kraft steht, um dem Mädchen die Probe notfalls leichter zu machen.«

»Aber das kann ich doch!«, sagte Krabat. »Ich werde ihr in Gedanken das Nötige zu verstehen geben – das geht doch, das haben wir ja gelernt!«

»Das geht nicht«, sagte Juro.

»Nein?«

»Weil der Meister die Macht hat, das zu verhindern – und er wird es auch tun, da besteht kein Zweifel.«

Von jetzt an waren sie alle Nächte, in denen der Müller außer Haus war, in der Küche. Krabat übte dann mit Juro, seinen Willen gegen den Willen des Freundes durchzusetzen: ein schweres Stück Arbeit für beide – und allmählich, im Laufe des Spätsommers, stellten sich langsam die ersten Erfolge ein.

Krabat war im Sommer ein paarmal über Sonntag ausgegangen: weniger zum Vergnügen als wegen des Meisters. Dennoch wurde er den Verdacht nicht los, dass der Meister ihn nach wie vor aufs Eis führen wollte. Einige Wochen waren vergangen, in denen der Meis-

ter kaum mit Krabat gesprochen hatte; dann sagte er
eines Abends zu ihm:

»Nächsten Sonntag wirst du wohl nach Schwarzkollm gehen – oder?«

5   »Wie das?«, fragte Krabat.

»Am Sonntag ist Kirmes drüben – ich könnte mir
denken, dass das ein Grund wäre, hinzugehen.«

»Mal sehen«, meinte Krabat. »Du weißt ja, ich
mache mir nichts daraus, unter Leute zu kommen.«

10   Hinterher fragte er Juro um Rat, was er tun solle.

»Hingehen«, sagte Juro. »Was sonst? Es wäre eine
gute Gelegenheit, mit dem Mädchen zu sprechen.«

Krabat war überrascht.

»Du weißt, dass sie aus Schwarzkollm ist?«

15   »Seit wir am Osterfeuer gesessen haben. Es war ja
nicht schwer zu erraten.«

»Dann kennst du sie?«

»Nein«, sagte Juro. »Ich will sie auch gar nicht kennen. Was ich nicht weiß, kann niemand aus mir he-
20   rausbringen.«

»Wie aber«, fragte Krabat, »können wir es vor dem
Meister geheim halten, wenn wir uns treffen?«

»Du weißt ja«, sagte Juro, »wie man den Kreis
zieht.« Er griff in die Tasche, er gab ihm das Stück Holz
25   in die Hand. »Nimm es – und triff dich mit deinem
Mädchen und sprich mit ihr!«

Am Samstag ging Krabat früh zu Bett. Er wollte
allein sein, er wollte noch einmal in Ruhe nachden-
ken, ob er sich mit der Kantorka treffen sollte, ob er sie
30   in die Geschichte hineinziehen durfte. War sein Leben
es wert, das ihre aufs Spiel zu setzen?

Krabat wusste weder ein noch aus.

»Und wenn ich ihr«, ging es ihm durch den Kopf,

90

»nur so viel erzähle, dass sie weiß, worum es geht –
doch den Tag und die Stunde der Prüfung verschweige
ich ...?«

»Das bedeutet für sie, dass sie ihre Entscheidung
nicht Hals über Kopf zu treffen braucht – und für mich,   *5*
dass ich Zeit gewinne.«

Am Sonntagmittag ging Krabat aus dem Haus und
schlug jenseits des Waldes den Feldweg ein, der um
Schwarzkollm herumführte. An der Stelle, wo er am
Ostermorgen der Kantorka begegnet war, zog er den   *10*
Zauberkreis, darin ließ er sich nieder. Die Sonne
schien, es war angenehm warm für die Jahreszeit. Kir-
meswetter mit einem Wort.

Krabat blickte zum Dorf hinüber. Halblaut sprach er
die Formel, dann wandte er alle Gedanken dem Mäd-   *15*
chen zu.

»Es ist jemand hier im Grase«, ließ er die Kantorka
wissen, »der mit dir sprechen muss. Mach dich auf eine
Weile frei für ihn, er verspricht dir auch, dass es nicht
lange dauern soll. Niemand darf merken, wohin du   *20*
gehst und mit wem du dich triffst: darum bittet er dich
– und er hofft, dass du kommen kannst.«

Eine Weile, das wusste er, würde er warten müssen.
Er legte sich auf den Rücken, um nochmals nachzudenken, was er der Kantorka sagen wollte, und dabei   *25*
schlief er ein.

Als er aufwachte, saß die Kantorka neben ihm. Er
konnte sich nicht erklären, weshalb sie auf einmal hier
war.

»Kantorka«, fragte er, »bist du schon lange da?   *30*
Warum hast du mich nicht geweckt?«

»Weil ich Zeit habe«, sagte sie. »Und ich dachte

mir, dass es besser ist, wenn du von selber aufwachst. Was ist es, weshalb du mich sprechen wolltest?«

»Ach«, meinte Krabat, »ich hätte es fast vergessen. – Du könntest mir, wenn du wolltest, das Leben ret-
5 ten ...«

»Das Leben?«, fragte sie.

»Ja«, sagte Krabat.

»Und wie?«

»Das ist schnell erzählt.«

10 Er berichtete ihr, in welche Gefahr er gekommen sei und wie sie ihm helfen könnte: wenn sie ihn unter den Raben herausfand.

»Das sollte nicht schwer sein – mit deiner Hilfe«, meinte sie.

15 »Schwer oder nicht«, sagte Krabat. »Wenn du dir nur im Klaren bist, dass auch dein eigenes Leben ver- loren ist, falls du die Probe nicht schaffst.«

»Dein Leben«, sagte sie, »ist mir das meine wert. Wann soll ich zum Müller gehen, um dich freizubitten?«

20 »Dies«, meinte Krabat, »kann ich dir heute noch nicht sagen. Ich werde es dich wissen lassen, wenn es soweit ist, vielleicht auch durch einen Freund.«

Dann bat er sie, ihm das Haus zu beschreiben, in dem sie wohnte. Sie tat es und fragte ihn, ob er ein
25 Messer zur Hand habe.

»Da«, sagte Krabat.

Er gab ihr Tondas Messer. Die Klinge war schwarz, wie in letzter Zeit immer – doch jetzt, als die Kantorka es in Händen hielt, wurde das Messer blank.

30 Sie schnitt einige Haare ab: daraus drehte sie einen schmalen Ring, den sie Krabat gab.

»Er soll unser Zeichen sein«, sagte sie. »Wenn dein Freund ihn mir bringt, bin ich sicher, dass alles, was er

mir sagt, von dir kommt.«

»Ich danke dir.«

Krabat versteckte den Ring von Haar in der Brusttasche seiner Jacke.

»Du musst nun zurückgehen nach Schwarzkollm 5
und ich werde nachkommen«, sagte er. »Und wir dürfen
uns auf der Kirmes nicht kennen – vergiss das nicht!«

»Heißt das: nicht miteinander tanzen?«, fragte die
Kantorka.

»Eigentlich nicht«, meinte Krabat. »Es darf aber 10
nicht zu oft sein, das wirst du verstehen.«

»Ja, das verstehe ich.«

Damit stand die Kantorka auf und ging nach

Schwarzkollm zurück, wo inzwischen bereits die Kirmesmusik begonnen hatte.

Je näher der Winter kam, desto langsamer, so erschien es Krabat, verging die Zeit. Von Mitte November an hatte er manchen Tag ein Gefühl, als ginge es überhaupt nicht weiter. Dann war der Winter da und der Schnee fiel. Weiß war die Welt geworden und wieder kam die große Unruhe über die Burschen.

Eines Morgens fragte Lobosch, was denn mit seinen Mitgesellen los sei.

»Angst«, sagte Krabat.

»Angst?«, fragte Lobosch. »Wovor?«

»Sei froh«, meinte Krabat, »dass du es noch nicht weißt. Früh genug wirst du es erfahren.«

»Und du?«, wollte Lobosch wissen. »Du, Krabat, hast du keine Angst?«

»Mehr als du ahnst«, sagte Krabat. »Und nicht nur um mich allein.«

In der Woche vor Weihnachten fuhr noch einmal der Herr Gevatter im Koselbruch vor. Die Mühlknappen stürzten hinaus, um die Säcke vom Wagen herunterzuholen. Der Fremde blieb nicht wie sonst auf dem Fuhrwerk sitzen: In dieser Neumondnacht stieg er vom Wagen und ging hinkend mit dem Meister ins Haus. Sie sahen die Hahnenfeder im Fenster, als wäre Feuer in der Stube.

Schweigend trugen die Burschen die Säcke vom Wagen in die Mahlstube. Sie füllten den toten Gang damit, ließen das Mehl in die leeren Säcke laufen und packten sie wieder aufs Fuhrwerk.

Kurz bevor es hell wurde, ging der Fremde zum

Wagen zurück, allein, und stieg auf den Wagen. Bevor er davonfuhr, sagte er zu den Burschen.

»Wer ist Krabat?«

»Ich«, sagte Krabat voller Angst und trat vor.

5 Der Fuhrmann sah ihn an und sagte. »Ist gut.« Dann fuhr er mit dem Wagen davon.

Von jetzt an war er sich seiner Sache vollkommen sicher. Die Tage des Meisters, das glaubte er nun zu wissen, waren gezählt. Er, Krabat, würde dem Müller 10 ein Ende setzen: Ihm war es bestimmt, seine Macht zu brechen.

Am Abend traf er sich mit Juro.

»Ich habe auf dich gewartet, Krabat. Soll ich dem Mädchen Bescheid sagen?«

15 Krabat zog aus der Brusttasche seiner Jacke den Ring von Haar hervor. »Sag ihr«, bat er Juro, »dass ich ihr Bescheid sende durch dich. Und sie möge sich morgen, am letzten Abend des Jahres, beim Müller einfinden und mich freibitten.«

20 Er beschrieb ihm das Haus, wo sie wohnte.

»Wenn du ihr«, fuhr er fort, »den Ring zeigst, wird sie sehen, dass du von mir kommst. Wenn sie kommt ist es gut – und wenn nicht, ist es auch gut: Dann soll es mir egal sein, was mit mir geschieht.«

25 Er gab Juro den Ring.

Als Rabe, im Schnabel den Ring von Haar, trat er den Flug nach Schwarzkollm an. Krabat ging in den Stall. Stand da ein Sarg in der Ecke? War er für ihn bestimmt – oder war er für den Meister?

30 Am nächsten Tag nach dem Frühstück nahm Juro den Freund beiseite und gab ihm den Ring zurück. Er habe

das Mädchen gesprochen, alles sei abgemacht.

Gegen Abend, es war schon dunkel, fand sich die Kantorka auf der Mühle ein und verlangte, den Müller zu sprechen.

»Der Müller bin ich«, trat ihr der Meister entgegen, 5 bleich im Gesicht, wie mit Kalk bestrichen.

»Was willst du?«

Die Kantorka blickte ihn furchtlos an.

»Gib mir«, verlangte sie, »meinen Burschen heraus!«

»Deinen Burschen?« Der Müller lachte. »Ich kenne 10 ihn nicht.«

»Es ist Krabat«, sagte die Kantorka, »den ich lieb habe.«

»Krabat?« Der Meister versuchte ihr Angst zu machen. »Kennst du ihn überhaupt? Kannst du ihn 15 unter den Burschen herausfinden?«

»Ich kenne ihn«, sagte die Kantorka.

»Das kann jede sagen!«

Der Meister wandte sich den Gesellen zu.

»Geht in die schwarze Kammer und stellt euch in 20 einer Reihe auf, nebeneinander, und rührt euch nicht!«

Krabat erwartete, dass sie sich nun in Raben verwandeln mussten. Er stand zwischen Andrusch und Staschko.

»Bleibt, wo ihr seid – und dass mir keiner einen Laut 25 macht! Auch du nicht, Krabat! Wenn ich etwas von dir höre, stirbt sie!«

Der Meister zog aus der Manteltasche ein schwarzes Tuch, das band er der Kantorka vor die Augen, dann führte er sie herein. 30

»Wenn du mir deinen Burschen zeigen kannst, darfst du ihn mitnehmen.«

Krabat erschrak, damit hatte er nicht gerechnet.

Wie sollte er nun dem Mädchen helfen?

Die Kantorka ging die Reihe der Burschen auf und ab, einmal und zweimal. Krabat konnte sich kaum auf den Beinen halten. Sein Leben, das spürte er, war verloren. Und das Leben der Kantorka!

Angst kam über ihn – Angst, wie er sie nie zuvor gespürt hatte. »Ich bin schuld, dass sie sterben muss«, ging es ihm durch den Kopf. »Ich bin schuld daran ...«

Da geschah es.

Die Kantorka, dreimal war sie die Reihe der Burschen entlanggegangen, zeigte auf Krabat.

»Der ist es«, sagte sie.

»Bist du sicher?«

»Ja.«

Damit war alles entschieden.

Sie nahm das Tuch von den Augen, dann trat sie auf Krabat zu.

»Du bist frei.«

Der Meister fiel gegen die Wand. Die Burschen standen an ihren Plätzen, ohne sich zu bewegen.

»Holt eure Sachen vom Boden – und geht nach Schwarzkollm!«, sagte Juro. »Ihr könnt in dem Gasthaus auf dem Boden übernachten.«

Da gingen die Mühlknappen aus der Kammer.

Der Meister, sie wussten es alle, würde den Neujahrstag nicht erleben. Um Mitternacht musste er sterben, dann würde die Mühle in Flammen aufgehen.

Merten gab Krabat die Hand.

»Nun sind Michal und Tonda gerächt – und die anderen auch.«

Krabat konnte kein Wort sagen. Da legte die Kantorka ihm den Arm um die Schulter.

»Gehen wir, Krabat.«

99

Er ließ sich von ihr aus der Mühle führen, sie führte ihn durch den Koselbruch nach Schwarzkollm hinüber.

»Wie hast du mich«, fragte er, als sie die Lichter des
5 Dorfes zwischen den Bäummen sahen, hier eins, da eins – »wie hast du mich unter den Mitgesellen herausgefunden?«

»Ich habe gespürt, dass du Angst hattest«, sagte sie, »Angst um mich: daran habe ich dich erkannt.«

10 Während sie auf die Häuser zugingen, fing es zu schneien an, leicht und fein, wie Mehl, das vom Himmel auf sie niederfiel.

Fragen

1. Suche die geographischen Namen aus diesem Buch auf einer Landkarte von Deutschland ((1 :500.000)) und erzähle, wo die Geschichte von Krabat spielt.

2. Was geschieht immer in der Neumondnacht in der Mühle?

3. Was lernen die Mühlknappen in der schwarzen Schule?

4. Tonda schenkt Krabat ein Messer. Was ist das Besondere an dem Messer?

5. Beschreib, wie Krabat die Osternachte mit Tonda, Juro und Lobosch verbringt.

6. Auf dem Markt in Wittichenau machen Juro und Krabat einen schweren Fehler. Welchen?

7. Was wird auf der Mühle gespielt?

8. Welchen Weg gibt es, um den Müller zu stürzen?

9. Kantorka rettet Krabat das Leben. Wie tut sie das?

10. Wie hat die Kantorka Krabat unter den Mitgesellen gefunden?

11. Was ist der tiefere Sinn der Geschichte? Kann man Parallelen zur Gegenwart ziehen?

EASY READERS *Dänemark*
ERNST KLETT SPRACHEN *Deutschland*
ARCOBALENO *Spanien*
PRACTICUM EDUCATIEF BV. *Holland*
EMC CORP. *USA*
EUROPEAN SCHOOLBOOKS PUBLISHING LTD. *England*

Ein Verzeichnis aller bisher erschienenen EASY READERS
in deutscher Sprache finden Sie auf der vorletzten
Umschlagseite.
Diese Ausgabe ist gekürzt und vereinfacht und ist damit für
den Deutschlernenden leicht zu lesen.
Die Wortwahl und der Satzbau richten sich - mit wenigen
Ausnahmen - nach der Häufigkeit der Anwendung und
dem Gebrauchswert für den Leser.
Weniger gebräuchliche oder schwer zugängliche Wörter
werden durch Zeichnungen oder Fußnoten in leicht
verständlichem Deutsch erklärt.
EASY READERS sind unentbehrlich für Schule
und Selbststudium.
EASY READERS sind auch auf Französisch, Englisch, Spanisch,
Italienisch und Russisch vorhanden.

EASY READERS BISHER ERSCHIENEN:
Andreas Schlüter: Die Stadt der Kinder (B)
Angelika Mechtel: Flucht ins fremde Paradies (C)
Anonym: Till Eulenspiegel (A)
Christoph Wortberg: Novembernacht (B)
Erich Kästner: Das doppelte Lottchen (A)
Erich Kästner: Der kleine Grenzverkehr (D)
Erich Kästner: Drei Männer im Schnee (C)
Erich Kästner: Emil und die Detektive (B)
Erich Kästner: Mein onkel Franz (A)
Gerhard Eikenbusch: Und jeden Tag ein Stück weniger von mir (B)
Gottfried August Bürger: Münchhausens Abenteuer (A)
Gregor Tessnow: Knallhart (C)
Gudrun Pausewang: Die Wolke (B)
Hansjörg Martin: Kein Schnaps für Tamara (B)
Heinrich Spoerl: Man kann ruhig darüber sprechen (B)
Herbert Reinecker: Der Kommissar lässt bitten (B)
Herbert Reinecker: Fälle für den Kommissar (C)
Inge Meyer-Dietrich: Und das nennt ihr Mut (A)
Inge Scholl: Die weisse Rose (B)
Jana Frey: Sackgasse Freiheit (C)
Jo Hanns Rösler: Gänsebraten (A)
Johanna Spyri: Heidi (0)
Marie Luise Kaschnitz: Kurzgeschichten (B)
Marliese Arold: Ich will doch leben! (C)
Michael Ende: Lenchens Geheimnis (A)
Otfried Preußler: Krabat (C)
Otto Steiger: Einen Dieb fangen (B)
Peter Härtling: Ben liebt Anna (A)
Peter Härtling: Paul, das Hauskind (B)
Siegfried Lenz: Das Feuerschiff (B)
Siegfried Lenz: Lotte soll nicht sterben (A)
Stefan Zweig: Novellen (C)
Susanne Clay: Der Feind ganz nah (C)
Thomas Brussig: Am kürzeren Ende der Sonnenallee (C)
Ursula Fuchs: Wiebke und Paul (A)
Uwe Timm: Am Beispiel meines Bruders (C)

Alle Titel finden Sie auf www.easyreaders.eu.